U0144323

布達佩斯紅寶石

李寅羊 著

不愛就是不相干

◎楊明

『那時候覺得自己不愛，不愛就是不相干。』

故事中的男主角在多年以後回顧年輕時一段戀情時這樣說，當時以爲的不值一顧，經過歲月竟成爲刻骨銘心。

明白了這個道理後，男主角不禁感嘆：『從前自己也不明白，但是這幾年……，起先是看不起她，當年傅雪文讓我覺得相形見絀，而洳琵，……後來只是覺得她根本不應該和我在一起，我不值得她花那麼大的心血。……歲月不值錢，一晃這麼多年，自己走到當年洳琵的年紀，才發現自己也有相同的心境，希望找到一個能夠相愛的人，……其實她就是那麼簡單而已。』

是的，愛情其實就是這麼簡單，卻唯有歷過滄桑的人才明白。

《布達佩斯紅寶石》敍說了一段異國戀情，像我們常看到的，男主角心中喜歡的是傅雪文，傅雪文卻無意於他，他轉而和喜歡自己的洳琵在一起，心裡卻看不起洳琵，他以爲他放下了自己的感覺，其實是不能的，他並不如自己以爲的那般無情。

直到失去後，他才明白原來他竟不能忘記她，不能忘記一個他看不起的女人。

作者並不打算告訴我們複雜的哲理，他只想要訴說一個簡單的故事，但是他卻將這個故事說得十分吸引人。作者的文字簡練，處理故事情節手法乾淨，透過故事中人物的行爲、對白告訴讀者一個愛情故事，尤其難得的是，作者並不玩弄文字，也不以詭奇的形式取勝，平實的寫作手法一如故事中的男主角所期待的平實人生。

那時候覺得自己不愛，不愛就是不相干。

如果愛呢？

〈自序〉

那一年在舊金山

◎李寅羊

一直想要寫作，但計劃中的第一本書並不是『布達佩斯紅寶石』

一直相信每個人的昨日都是一頁小說；而成長中的稗種種挫折，最終都是成就。如果這種說法不適用於每個人，至少應該適用於段勤、洳碧和我自己。

曾經客居美國十年，住過許多城市，連自己都疔怪的是，許多個城市離開之後就沒有機會再回去。舊金山就是其中之一。

舊金山在記憶中是浪漫帶點憂鬱的，霧濛濛有些讓人捉摸不定，有現代的熱鬧，也有擺脫不掉的舊式繁華，而新舊交雜的熱鬧繁華，卻掩飾不了人的孤獨寂寞。『布達佩斯紅寶石』這樣的故事註定要發生在舊金山這樣的城市。

『布達佩斯紅寶石』大約五年前開始蘊釀，本來是兩個單一的故事——段勤的留學生故事和洳碧的異國之愛。每天上下班的塞車時間，段勤和洳碧交替浮現，最後竟成了兩個人共同的故事了。

成長的過程，有許多事是忘不了的。

一九七四年在舊金山，我路考三次終於取得了第一張駕照；一九七四年在舊金山，我第一次——也是唯一一次捐血；一九七四年在舊金山，我受洗加入摩門教，因此背叛了一個親愛的朋友；一九七四年我和室友山本啓子開車從舊金山出發，有驚無險地見識了一號公路的美景；一九七四年在舊金山……，一九七四年，舊金山發生了許多事，我相信『布達佩斯紅寶石』也是其中之一，而段勤和洳碧和我曾經在這個成長的過程中並肩而行。

於是段勤和洳碧走上了我曾經走過的街道，他們住進了我曾經住過的房子，但是他們卻發展了一個我不曾經歷的故事。『布達佩斯紅寶石』不是才子佳人的故事，段勤、洳碧和所有遷居到舊金山的平凡人一樣，不安地懷抱著理想和慾望，他們終究要發現舊金山的太陽和別的地方一樣也是東昇西沉。

也許那是一種失望，也許那就是成長。

很難說得清那兩個人是不是眞的相愛過，洳碧掛在嘴上的愛也許只是愛了鞏固一個停泊港灣的藉口，而段勤沒有說出口的也許是他不敢承擔的愛——現實生活中的孤男寡女不也是不斷地重覆這樣的遊戲嗎？

但是，天曉得寫作是怎麼一回事？拿起筆來才發現故事中的角色各有各的命運，有些竟然不是寫作者所能主宰的。也許這才是寫作最迷人的地方吧？

『布達佩斯紅寶石』最後的階段，是在家中的地下和室完成的，我的三隻貓陪著我日夜窩在參考書（字典、時事年鑑、百科全書、旅遊介紹、地圖）、電腦、耗材和撒了一地的重修稿之門。曾經幾次想要曬曬太陽，上得樓來卻發現太陽已經下山了。

和舊金山一樣，台北的太陽依然會東昇；生命不斷，故事不斷，寫作的人自己仍在成長。

1

他醒來時，電話還在響，一聲聲驚心刺耳。乍被驚醒，心臟劇跳著，他摸黑在床頭桌上慌亂地摸索，終於找著電話，抓起話筒『喂』了一聲，覺得口乾舌燥。

『快點……』程維珩在另一頭懶洋洋減著；背後嘈雜一片，聽不見到底在說些什麼。

他閉著眼咕吧著，『幹什麼哪？』

『打開電視，看CNN。』程維珩提高聲音重複了一次。

『眼哪……』他打了一個哈欠。

『媽的，舊金山大地震。』

他搖搖頭，抖不開長途旅行的勞累，但還是勉強開了燈，蹣跚下床轉開電視。

一整個晚上節目好像都沒什麼變化，他吃過晚飯上來時看的是新聞，電視裡的女播音員嘴臉塗抹得像三〇年代的舞台演員，正在播報各地豐收的新聞。現在他轉開電視，看到的是另一個濃妝豔抹的舞台演員，播報另一串讓人記不住的生產數字。轉了幾台，煉鋼廠產量增加……煤礦外銷量增加……人口有效控制……到處是『情況一片大好』。他找不到CNN，他不知道這個旅館收得到CNN，他甚至不知道上海收得到CNN；路過台北時，聽說台北連大耳朵都還不合法。

正想撥電話給程維珩，門上『叩、叩』響起。

打開門，程維珩晃了進來，『怎麼？怎麼還在看那些雜碎？』

程維珩轉了幾下，畫面出來了，『嘖嘖，灣區大橋變成這副德行！』

灣區大橋？沒錯，他聽到播音員重複說著，但那已經不是他曾經認識的灣區大橋了，上層橋面整個斷裂，垮在下層橋面上，夾縫裡看得到幾輛不成形的汽車，隱約看得到陰影裡的綠色車殼。救護車的警笛不斷響著。

那年他去舊金山，就是從奧克蘭經過灣區大橋進去的。那是他唯一一次經過灣區大橋，也成了他對那座橋永恆的記憶。

『播多久了？』

『一整個晚上了吧，誰知道。』程維珩順手抓了個枕頭斜躺在他床上，目不轉睛看著電視。

『那你又怎麼知道的？』他問。

『下去酒吧，裡面圍了一群人，我馬上又衝上來。』

播報員的聲音又急又快，幾乎讓人聽不清在說些什麼。段勤努力在畫面中尋找他熟悉的角落，沒有——整個城市已經面目全非，水柱從擠壓破裂的水管爆出來，大火找不到水源撲救繼續燃燒著，煙霧中人們倉皇著臉四處奔跑；排列成隊的人們傳遞著水桶，一路叫嚷，一路潑灑；播音員聲嘶力竭的背後，是嗚咽不斷的消防車和救護車。

相同的新聞又重播了一次。

『媽的，地獄也不過如此吧。』程維珩淡淡地說著，下床往門邊走去：『我下去喝一杯。』

『別搞得太晚了，明天還要去看浦東那塊地。』

程維珩走了之後，他繼續看著。同樣的新聞一再地重複，同樣的畫面，同樣的旁白，一再出現的城市就像是被詛咒過一樣地滿目瘡痍。一個被詛咒的城市……，他想著。

『上帝詛咒你們，詛咒這個地方！』那個老婦張舞著十隻手指對著他咬牙切齒，活像希臘悲劇裡走出來的角色，『奸夫淫婦，你們弄髒了這個城市，墮落、骯髒的人，你們會受到報應的，上帝詛咒它，再給它一次大地震，把這些罪人都埋了，埋得一乾二淨……』

十五年前的事，突然湧上心頭，儘管這十五年來他幾乎都不曾去想，卻仍然清晰得像是剛剛才發生的一樣。人的記憶力……，他苦笑著。

果眞是上帝又給它一次地震嗎？而她所謂該詛咒的那些人呢？他在數萬里之外，而洳琵十五年前就生死不明了。或者有人比他們更該詛咒？說這話的老婦也許自己早就入土爲安了。

他關了燈，把程維珩剛躺過的枕頭翻了面又拍了拍才躺下。屋裡只剩下電視的光線閃閃爍爍，畫面一再地重複、重複、重複……。透著窗帘的隙縫看出去，外面的天空是黑暗的——夜上海也曾經是不夜的上海，現在只是個黑暗陌生的城市，另一個寂寞的夜晚……。有一個時期他認爲陌生和寂寞都是他與生俱來的感覺，那個他從不能完全遺忘的時期此刻又開始滋擾著他……。

他想起他曾經認識的一個女孩，會說上海話的女孩，還有她說過的那句上海話，讓他久久不能忘懷的上海話。

『媽的，舊金山住了一年，居然沒談過戀愛？』程維珩說過他，『簡直是浪費生命。』

他不想告訴程維珩，過去有時是不堪提起的，好比是掀著一處已經結了疤的傷口，有時揭開來裡面的傷口儘管已經復合，皮膚上也難免留下一塊不協調的顏色；有時揭開來卻發現裡面的傷口膿血未乾，又要經歷一次的疼痛……，那樣的傷口，即便是撫弄到表面上的疤痕都會作痛的，所以只好深深藏著，越藏越深……。

天快亮的時候他朦朧睡去，奇怪的是，他沒有夢見舊金山或洳琵，他夢見又回到學校。人家已經註冊完畢，他四處奔波找著選課表。校舍已經全然改觀，他去到的每一棟樓都是陌生的。他跑到行政大樓，服務處的人告訴他課表要到工業大樓去拿，他穿過一道又一道暗而窄的走廊，攀著一道又一道攀爬不完的樓梯，找不到出路，找不到盡頭……

2

他走出終點站，跨進計程車前深深吸了一口氣。一月的舊金山有點涼，特別是新年假期裡，商店都還沒開始營業的早晨。像程維珩告訴他的一樣，這個地段不是很熱鬧，『當心被搶！』他說。

他看了看錶，這趟車坐了他整整五十個小時，還不包括從奧克蘭火車站搭乘接駁巴士到舊金山的時間。他是三天前從小鎮出發的，程維珩開車送他到芝加哥坐火車。『幹嘛坐火車？』程維珩說，『活得不耐煩了？』然後又看到段勤搭的列車甚至不是他們慣常看到的AMTRAK客車，程維珩不再說話了。他想程維珩應該明白他身上錢不多了，特別是繳掉預付的半個月旅館費之後。

五十個小時，即使是十五年後又想起來，還是覺得自己好大的能耐。那節車廂是掛在貨車前頭的，硬座，像從前的淡水線火車。車廂空落落地沒有幾個乘客，石油危機，各地都在喊著限油、漲價，但火車還是沒人願坐。因爲要裝卸貨，那列車走走停停，有時候爲了錯車，甚至在半途中就停了下來。段勤睡睡醒醒，也不知道過了幾站；每當火車逐漸慢下來時，他就不由自主醒來，怕的是像程維珩說的，『怎麼死的都不知道。』

列車是從芝加哥發的，上車時除了他只有三個乘客，一個拘謹的老頭子，從頭到尾都沒說話，到丹佛就下車了；一個白淨的大男孩，要到舊金山學美術，話說得不多，但每次段勤回頭，就看他靠著車窗不自覺地微笑著；還有一個二十出頭的女孩，帶著剛斷奶的孩子，『我到柏克萊找我先生，我們一年不見了。』年輕溫柔的臉藏不住心裡不斷泛出的喜悅和興奮。

車廂內的舊暖氣不穩定，忽冷忽熱地，車廂的門又關不緊，冷冽的風鑽著隙縫進來，雖然不至於冷得打顫，但也是挺讓人受不了的。段勤本來坐在門口，漸漸地移到中段位置，和那女孩隔著走道。那女孩摟著她的寶寶，逗著他，靜靜地笑。車到夏安停了很久，後頭的男孩睡著了，女孩說要下去幫娃娃找熱水，託他照顧行李。他把蓋在身上的外套攏緊一點，張望著窗外。那外套是軍需品剩餘中心買來的，陸軍的青綠色，比他從台灣帶來的羽毛衣保暖，本來以為到舊金山就不需要了，可是聽程維珩一說：『別崽了，舊金山夏天還冷得死人呢。』他只好又帶上了。

窗外陰霾霾的天空，灰撲撲的車站，到處看不到一點令人興奮的顏色。不久他自己也睡著了。

列車牽動時，他被震醒了。女孩已經回座，拿著奶瓶餵孩子。

他開了一罐鮪魚罐頭，女孩笑著看看他，『我還以為你不必吃東西呢。』

他上了車就沒有吃過東西了，他討厭旅行，顛簸的時候他就沒胃口。

『要不要來一點？』

女孩搖搖頭，『謝謝，我吃素。』

段勤驚訝地看著她，他從來沒聽說過吃素的美國人。段勤很少去觀察美國女孩，他總覺得她們是毫不相干的族群，當然這是就男女間可能發生的互動關係而言，而事實上他也知道，自己的英語沒有好到足以完全表達自己，更不必說取悅外國女孩，所以那樣的挑戰他就不嘗試了。這一點程維珩和他倒是不相同，他從來不惹中國女孩，因爲他深信『好聚好散』的乾脆原則。因爲那女孩的一句話，他偷偷地打量起她來。那女孩臉上脂粉不施，皮膚是柔嫩透明的，泛著淡淡的粉紅，長而直的淺棕色頭髮閃閃發光，一件小鎮常見的粉紅雪衣下面露著一截灰藍色的長裙蓋著棕色的舊馬靴。她不是會讓人驚豔的那種，可是自有一種恬靜，越看越耐看。

一直到奧克蘭，他們都沒怎麼說話。出了奧克蘭火車站，女孩的丈夫開了一輛老舊的無蓋貨車來接她，一家人摟著親著，上車去了。那是個不修邊幅的男人，頭髮和鬍子都雜亂無章，穿著陳舊的格子棉襯衫和泛白牛仔褲，看起來比他的妻子更風塵僕僕。也許他不吃素，段勤想著。

巴士上就剩下那大男孩和他遠遠地分開坐。車子走過海灣大橋進入舊金山，那是他唯一一次經過海灣大橋。

到了舊金山，男孩也被朋友接走了。

段勤脫下那件軍用外套，看看四周。終點站裡沒有幾個人，一對年輕的黑人情侶糾纏在角落親吻著；另一個胞腫的白種女人，把行李緊緊挽在身上，靠在椅子上假寐，遠處還有幾個人散坐著。他不太確定是否可以把行李擱著，先到外面看看。他的行李不多，一個六十公升的帆布登山背包和一個直統式升縮旅行袋——旅行袋的四個輪子已經壞了兩個。他從口袋裡掏出那張和寄宿舍的訂房確認信一起寄來的影印地圖，拿著地圖看了半天，找不到終點站在地圖上的位置。

一個年老的黑人清潔工掃著地，往他站的地方一步步掃過來。

『第一次來嗎？』老人掃到他跟前，抬起頭來問。他的眼睛灰濁，頭髮已經全白。

『是的，』他說，拿著地圖湊了過去，『你可以告訴我，我們現在在那裡嗎？』

老人皺著眉，把掃帚擱在一邊，地圖拿得老遠地看了半天，然後用手指指左下角地圖涵蓋不到的地方說：『我們大約在這裡。』

『有巴士可以到這裡嗎？』段勤指著地圖上的寄宿舍所在。

老人搖搖頭，『我不敢說，有的話也很難等，新年——』

也許他可以穿上外衣，背起登山背包，那個旅行袋雖然有點份量，但是他可以邊走邊休息，『走路要多久呢？』

『別試，不值得的，帶著行李，你也許永遠到不了。』老人搖搖頭，平靜地說，好似他每天要對許多新來乍到的人說著同一句話，已經習慣了。

段勤嘆了一口氣。

『你願意的話，我可以幫你叫輛計程車。』

『你可以嗎？』

『一角錢。』

段勤從口袋掏出幾個硬幣，揀出一個二十五分錢的遞給他。『錢分開放，留幾個銅板放在容易拿的地方，盡量不要亮大鈔。』程維珩說的。

『十分錢，』老人沒有伸手接，『我從來不跟初來的人拿小費，你也沒有必要讓電信局白賺你的錢。』

段勤只好又挑了一個一角錢的給他。

計程車不久就來了，司機也是個黑人，制服的袖口和領口累積著經年不洗的油膩，肚臍上的鈕子已經掉了，露出穿著灰黃內衣的肥肚子。

段勤把地圖拿給司機看，司機一語不發就走了。一路上的商店都還沒有開，緊閉的鐵拉門外面，一張張被棄置的報紙隨風飛揚著，冷清的街上偶爾一個衣衫襤褸的流浪漢蹣跚而過，或是躺在牆角旁若無人睡著。舊金山，這就是舊金山嗎？爲什麼和法蘭克辛那屈的歌詞全然不同？爲什麼不見髮上別著花朵的遊客呢？這是個陌生的城市，段勤不知道司機是不是繞了路，他甚至不知道司機載他走的是什麼路。

他們還是到了。車子在一排老式的樓房前面停下，沒有招牌，只有門牌號碼。

『你確定是這裡嗎？』段勤猶豫地朝窗外張望著。

司機眨眨眼，咧嘴露出兩排黃牙，『沒錯！』

段勤付了錢下車，背起登山背包，拖著只剩兩個輪子的旅行袋，困難地擠進了旋轉門。

大白天裡，那旋轉門裡面還是陰暗的，乍從陽光裡進去，段勤費了好一會兒才辨清了裡面的擺設。廳不大，有一個圓形的櫃台在中間，櫃台上一架十四吋的小電視，但是櫃台裡面沒有人。四周的牆糊著維多利亞圖案的壁紙，陳舊泛著黃漬，描金的線也斑駁了，卻還不失典雅。櫃台和門都是實心木料做的，過去的繁華加深了原有的光澤，現在已經黑得發亮。沿著窗一排矮沙發，印著花花草草的沙發布已經灰暗。

四周靜悄悄地沒有一個人。段勤按了按櫃台上的手鈴，半天才有一個人從後面的門裡轉出來。是個年輕的印第安人，穿著T恤和牛仔褲，腳下一雙和段勤一樣的軟底earth shoes，一頭稻草色的頭髮散在頸際。

那人走過來，撩撩臉上頭髮，懶洋洋地問，『你要什麼?』

段勤指指自己的行李，『我剛到。』

印第安人一語不發，開了小門走進櫃台，拿起耳機，在總機板上搬弄了幾個鈕。段勤聽到『吧吧』響了幾聲，有人接了電話。

『尼可，有人剛到。』他說著，等對方說完，掛了電話，『等一下，他馬上來。』

印第安人走出櫃台，逕自回到後面的門裡去。

又過了一會兒，段勤聽到『隆隆』的響聲，聲音停止後，電梯裡走出來一個人，金色的頭髮剪得都快貼著頭皮了，可又稱不上是光頭。他瘦削的身上穿著一件白色唐衫，一路招招搖搖，惺忪著眼，但是精神不減，右耳垂著一只長長的銀耳環，隨著他的脚步一路搖盪，『哈囉，哈囉，你一定是勤了。』

他走進櫃台，點亮了寫字燈，『我是尼可，經理。抱歉，放假，好多人都到外地去了，我們也就不點燈。』

他拿了一張登記表要段勤塡。段勤塡著表時，他就托著腮倚在櫃台上看著。

『你是中國人嗎?』他說話時仍然撐著下巴。

段勤點點頭。

尼可兩手一拍,『太好了,我最喜歡布魯士李了。』

段勤對他笑了笑,這樣的話他已經聽了幾百次了,每一次遇見一個難得認識中國人的老外,總要聽一次。

『你會功夫嗎?』他問。

段勤笑著搖搖頭,這是另一句。

『噢,那眞可惜。我以爲中國人都會一點。我常到唐人街看中國老人打拳,他們都很棒。』

那是太極拳,段勤心裡想著,但是沒有說出口,他怕一說了,尼可又要問個沒完。

太極拳可不是他的英語說得淸楚的。

他的房間在二樓。尼可拿了鑰匙說要叫查理幫他拿行李。

『你見過查理了，不是嗎？』

『查理？』

『是呀，打電話叫我下來那個人。』

『噢，是呀。』段勤心裡擔心著還要給小費，『沒關係我自己拿。』

『隨便你。』尼可聳聳肩，把鑰匙遞給他，『二樓電梯對面左邊最後一間。晚餐六點開飯，餐廳在地下室。』

房錢是連早餐和晚餐一起包的。

『謝謝你，』段勤拿了鑰匙，扛起自己的行李，往電梯走去。

那電梯也和大廳一樣，帶著點陳舊的繁華，操作時聲音很大，上下時速度緩慢，讓他想起有一次去芝加哥住的小旅館。小不是指規模，那旅館畢竟也有十幾層樓，但是設備和規模不成正比。他住的是一間最便宜的小單人房，就在電梯旁邊，窄窄暗暗的，連浴室都沒有，有扇小窗，正對著高架捷運，捷運車和電梯交錯了一整夜，第二天一早起來頭昏沈沈地。

他的房間比想像的大，對著街，一扇大窗凸了出去，多出來那塊地方設了窗座。他進去時，泛黃的紗帘迎風招搖，他走到窗前看了一會兒，外頭和裡面一樣靜悄悄的，偶爾一輛汽車緩緩馳過。

他的門還開著，他聽到門上有人敲著，回頭一看，是個美國女孩。

『可以進來嗎?查理跟我說你搬進來了。』她問。她大約段勤的身高，膚色健康體態適中，一頭棕栗色的頭髮在後面紮成一束。又是一個不化妝的美國女孩，沒有火車上那個女孩的靈透，她的五官和她身上的白T恤、牛仔褲一樣平凡，但是有一雙聰明外露的眼睛。

他猶豫著。

『我是麗兒，我住隔壁，』麗兒遠遠地伸出了手，『我們共用一間浴室。』

『噢，請進！』他伸手握了一下。

『這房間比我想的大，』麗兒走進來，環顧著四周，聳聳肩頑皮地一笑，『我一直想看看這個房間什麼樣。』她的笑聲在喉嚨裡低低滾動著，聽起來有幾分性感，『這房間本來是洳琵的。』

『她搬走了嗎？』

『沒有，她一直想要有自己的浴室，剛好有人搬出去。』她撇了撇嘴，『這樣也好，我們兩個合不來，她恨死我了，』麗兒笑了起來，『可是她怎麼搬還是在我隔壁，另一邊的隔壁。』

『爲什麼想來舊金山呢？』她望著窗外，『哇，我喜歡這扇窗，可惜太矮了，加高兩、三層樓會更好一點。』

爲什麼來舊金山呢?到舊金山是匆忙決定的,與其說是他決定來舊金山,不如說是程維珩爲他作的決定,因爲:『舊金山好混。』

他笑了笑,『問得好。』

麗兒也笑了,『耶,每一個到舊金山的人都帶著一個夢,舊金山就是這樣的地方,讓人覺得所有的夢想都能實現,可是夢想怎麼解釋得淸呢?』

『妳呢?妳在這裡工作嗎?』

『我教小學。』她笑著,『像嗎?』

段勤聳聳肩,『大概有點吧。』

『我家在南達科塔州,』她坐在窗座上,垂眼望著自己的腳尖,『我是因爲查理才到舊金山的。』

麗兒落寞地笑笑，站了起來，『好了，我得走了，你也要休息了。』

她走到門口，又回頭說，『嘿，我們等一下要去外面吃三明治，你要一起來嗎？』她的口氣已經恢復了原來的愉悅。

『商店開嗎？』

『你開玩笑嗎？舊金山的商店那一天不開？舊金山的商店不是爲市民開的，是爲觀光客開的。』

『也許……下次吧，我現在想睡一覺。』他說。

『好吧，』麗兒走出去，帶上了門，從門縫裡說：『晚餐見。』她關上門走了。

段勤聽見她踩著木造地板細碎的腳步，在對過開關著自己的門。

他推著那扇厚重的木造門，那扇門是嵌在牆上的，和牆裝飾得一模一樣，不仔細找的話根本看不出來。

『對了，就是那裡，』尼克伏在櫃台上朝著他叫，他換了一只耳環，金色的大圓耳環在吊燈的光圈裡閃亮地盪著。『推，用力推。』

門裡是幽暗的，只有門上一盞昏黃小燈，微微照著窄窄的樓梯。他一放手，那扇門緩緩無聲地闔上了。

濃烈的油漆味彌漫著。

『小心，別摸到扶手，我還在上漆。』說話的人站在他腳下的樓梯邊，那聲音有些熟悉，是查理嗎？他想著。

『你怎麼看得見呢？』段勤問著，小心一步步走下樓梯。

『有差別嗎？』那個聲音靜靜地說，『如果什麼事都得光天化日下才能做，那還有什麼事做得成？』

『耶。』段勤漫應著。那是個存在主義還沒有死亡的年代，誰都要表現出自己有那麼一點似是而非的哲學，他懂，但不想眞懂。

他下了樓梯，轉過樓梯邊的那道牆。那餐廳和整棟樓的風格是完全不同的。天花板上釘著日光燈，牆是白色的，未上漆的野餐桌椅整齊排列著，只剩下走路的空間。牆反射著燈光，桌面也反射著燈光，因爲太亮了，讓人有點頭暈。

有兩個人已經在座，一個嘩啦啦翻著報紙，另一個瘦瘦的男人穿了一件紫色襯衫坐在桌邊發呆，看到段勤進來也沒有人打招呼。

也許來得太早了，他想，也許他該出去走走再回來。他站在那裡猶豫了一下。

廚房的窗口有人探出頭來，『嘿，新來的，自己找個位子坐。』又縮回去了。

段勤在靠牆的桌子坐下，遠遠地看著背對他的那個紫衣男人。那樣的紫，紫得讓人不安，他想著。

『嘿，賈許，』看報的那個人撩開報紙，『晚上吃什麼？』

『牛肉湯，』賈許在窗子裡喊，『匈牙利牛肉湯。』

『我們在等什麼？』

『查理，』賈許喊了起來，『你不能快一點嗎？他媽的非要挑這個時候油漆樓梯，你不知道我有一群人要餵嗎？』

『查理，拜託好嗎？』紫衣男人不耐煩地說，『我還要出去呢。』

查理沒動靜。

賈許從裡面把一籃籃麵包擱在窗台上，『自己先吃點麵包吧。』

那兩個男人沒有動。段勤走上前，拿了一籃麵包，正要回座，聽到看報紙的男人用報紙遮著臉冷冷地說，『你不必這樣做，那是查理的工作。』

段勤愣了一下，不太確定那人是在對他說話，他看看紫衣男人，那人轉開了臉。

『是呀，你以為你一個月付我多少錢？這個也是查理的工作，那也是查理的工作，鄉巴佬，沒用過傭人呀？你等著餓死好了。』查理把著油漆桶進來，『我調了漆總得用完吧。』

『嘿，賈許，』看報的男人叫著，『把他踢出去。』

『嘿，米秋，』賈許伸出頭冷冷地說，『你自找的，別忘了，這是舊金山，請尊重少數民族。』他敲敲窗台，『查理，給他一點麵包。』

查理上了所有桌子的麵包，才把麵包送到米秋桌上，米秋狠狠瞪了他一眼。

那牛肉湯是稀稀的淺咖啡色，幾塊小小的牛肉沈在碗底，倒是有很多切碎的馬鈴薯、芹菜、胡蘿蔔什麼的，段勤還撈到麥片。他本來還期待著會有別的菜，但是看到那個紫衣男人喝完湯走了，他知道晚餐大概就是那樣了。光喝那碗湯是無法充飢的，他想著，所以只好猛吃麵包。那麵包他沒有吃過，不知道是什麼做的，粗粗黑黑的上面撒著白粉，口感不是很好，但他知道那是絕對可以耐飢的。

人陸陸續續進來，幾張桌子幾乎都坐滿了，一個靦腆的男孩坐在他隔壁，年輕的臉讓段勤想起火車上那個男孩。

麗兒進來，擠進他的對面坐了下來，『還習慣嗎？』她笑著問，『第一天？』

『還好，』他嚥下嘴裡的麵包，急著把湯喝完好離開。

『這裡有很多……有趣的人，你慢慢會認識他們。』

麗兒回頭和別人打著招呼，問他們新年去了那裡。

『嗨，新面孔，我們還沒見過吧？』

那沙啞的聲音口音很重，每一個重音都在第一個音節上。

段勤抬起頭，看到麗兒背後站著一個女人，頂著一頭沈重的金髮，臉上濃濃地上了妝，一襲粉紅色迷你洋裝緊緊裹著她不算苗條的身材，她臉上裝作地淡笑著。

段勤以為她是向自己說話，點點頭，急著要嚥下嘴裡的東西。

她把動著兩片漆得厚重的假睫毛，把了把塗得紫紅的嘴唇，手朝著段勤隔壁的男孩伸了出去，『我是洳琵，紅寶石的洳琵，哪，像這個，』她翻過手展示手指上一只鑲著紅寶的戒指，『布達佩斯來的。』

那個男孩可能被這突然而來的禮遇嚇了一跳，楞楞地看著她。

『拜託，洳琵，』麗兒厭煩地說，『他還只是個孩子。』

『一個好看的孩子。』洳琵還伸著手，『需要女人把他教養成紳士。』

噓聲和口哨聲四起。麗兒做了一個噁心的表情。

男孩紅著臉，伸出手輕輕一握，趕緊收回去了。

『你知道布達佩斯在那裡嗎？』她低頭用塗了蔻丹的手指，刮刮男孩的手臂。

男孩的手要縮又不好意思縮，難堪地垂著眼。

『嘿，洳琵，洳琵，』米秋站起來激動喊著，『過來，坐在我腿上。』

洳琵雙手插腰，半轉過身眼了眼米秋，『我要的男人有三種，有錢，或是年輕，或是英俊，米秋，你符合那一種？』

『脫下衣服，我三種都符合。』米秋開心喊著，『我脫下衣服，就會教妳忘了那三種男人。』

一群人又笑又叫。麗兒不屑地搖搖頭。

男孩急急喝完湯，低聲對段勤說，『借過。』

段勤推開椅子，男孩匆匆忙忙走了出去。

洳琵轉回頭，看到男孩已經不在，吧著嘴，『噢，現在的男人連禮貌都沒有。』

『試試我，洳琵，』米秋又叫著，『我在床上都會問，我可以進去嗎？』

洳琵不耐煩地看看他，『米秋，你是一隻下流的豬，嘴上會做愛的人，不見得眞懂得愛，知道嗎？』

口哨聲和笑聲又起。有人叫著，『嘿，米秋，你行嗎？你有毛病嗎？』

『狗屎，妳以為妳是什麼？』米秋惱羞成怒地叫著，『臭婊子！』

洳琵不理他，用肘子撞撞麗兒的手，麗兒正握著一匙湯要送入口，被撞得灑了一桌子。

『別碰我。』她低聲惱怒地說。

『好，好，我道歉，行嗎？我不是故意的，』她捏弄著麗兒的肩，『我只是想知道晚餐吃什麼。』

『我跟妳說了，別碰我。』麗兒撥開她的手，狠狠地說。

賈許從廚房走出來，『嘿，美人兒，妳想知道晚餐吃什麼，妳來問我。』他抱著雙臂挑釁地說，『今天的晚餐是牛肉湯，正宗匈牙利牛肉湯，怎麼樣？』

『呀哈，正宗匈牙利牛肉湯？』洳琵誇張地攤著雙手，『你什麼時候又會做匈牙利牛肉湯了?還是正宗的。』

『呀哈，』賈許也學她誇張地攤著雙手，『從我睡過一個匈牙利貴族以後，我就會做匈牙利牛肉湯了，至於正不正宗呢，就要問妳自己。』

顯然洳琵沒聽懂賈許最後一句話，衆人又笑又噓的時候，她還在問著：『什麼，他說什麼?』

有個長頭髮的女孩伏在她耳邊說了，洳琵憤怒罵道，『狗屎，賈許，你是狗屎!』她扭著一雙銀色的高跟鞋，走了。

『她住這裡嗎?』段勤低聲問麗兒。

『耶，很有趣的人物，是嗎?』麗兒笑著說，『她已經在這裡住了許多年了，剛來的時候說她是匈牙利貴族。』

『眞的嗎?』

麗兒聳聳肩,笑了,『你相信她那頭金髮是眞的嗎?』

3

『媽的，老遠來，』程維珩搖著頭，抓抓敞開的領口裡面白腰的胸脯，『搞什麼飛機？』

原先連繫的人告訴他們那塊地是別墅用地，可是到現場一看，都被圍在商業用地裡面了，有些大樓蓋了一半，圍牆外大大的招牌已經先宣揚了起來。

『在這種地方蓋別墅？誰來住？』

『會不會是找錯地方？』

程維珩看看手中的地圖，又比對了一下四周，『媽的，就是這塊地嘛。』

段勤本來不看好這塊地的。做了十幾年，他已經對房地產逐漸心灰意懶，特別是這幾年受到美國不景氣的影響，幾個針對新移民推出的案子都不怎麼成功，還好合夥的人多，不致大賠，但畢竟不是長久之計，台灣股市一路上漲，讓程維珩覺得開發新中國是可行之道。

『台灣已經沒有多少地了，英語不好的又不太敢貿然移民美加。中國大陸呢，同文同種，前途似錦，特別是這幾年台灣人別的沒有，就是閒錢多，拿個幾百萬到大陸那個風景點置產，退了休再搬過去享福，要不，挑氣候好的時候一年去逍遙幾個月，哪，如果他們還沒想到的話，我們就想辦法讓他們想到。』程維珩一臉壞笑著，從前讓學校那些中國女生又愛又怕的笑容。

『那也不見得。大陸情況不穩定，恐怕有錢的都不敢冒險。想回歸的無非是些老榮民，身上錢也不多，頂多拿了退伍俸回老家修修房子，上海這種地方他們也住不起。』

『怎麼那麼悲觀呢？奇怪，這麼多年還改不過來。』

他也奇怪，程維珩也是不惑之年了，怎麼能夠還那麼樂觀呢。

從浦東回來，經過外灘。

旅館派的司機王師傅一臉和善，很不像傳說中的上海人，『下去走走吧，著名的上海灘，走一趟也算不虛此行。』

程維珩挑著眉朝他一眼。

『好哇。』段勤說，『反正還早。』

『這邊不好停車，半個鐘頭我回來接你們。』

外灘的岸邊上，遊人如織，除了海外的觀光客，更多的是國內的遊客，蜂擁來張望著海外遊客。

從外灘看過去，中山東路和南京路上的建築巍峨壯觀，很不中國的巍峨，很不現代的壯觀。但是一眼望去的透視感，仍然讓人怦然心動。唸大學的時候，他曾經夢想過有朝一日可以設計出像這樣一棟棟具體不容忽視的大樓，但是夢並不是那麼容易圓的……。

『我想回學校唸書。』段勤突然衝口而出。其實這樣的念頭已經在他心中醞釀了許久，他以為日子久了，就會淡去，但是日子久了，這樣的念頭像是潛入了他的動脈，像螞蟻一樣不斷輕輕囓咬著，讓他不得安寧。

程維珩轉頭打量著他，好像要從他的臉上讀出一點訊息來一樣，眼光在他的臉上盤旋良久才轉過頭去，對著黃浦江說：『唸什麼呢？』

『把碩士唸完……。』

又過了半天，程維珩才說：『有這種需要嗎？』

段勤還是沒答腔。

他離開學校整整十五年了。

那一個學期末了，塔克教授把他叫進辦公室，告訴他下學期開始要取消他的獎學金了。

『我不能把經費浪費在你這樣的學生身上。』

他懂，他的英語不夠好，他說話辭不達意，儘管他報告寫得還可以都不能扭轉塔克的印象。

『我很不願意這樣說，』塔克說，『但是我覺得你欺騙了我。』

其實段勤認爲自己也被自己欺騙了，托福考了五百六十分，連段勤自己也覺得自己應付得來。

『我認爲你應該花一個學期先把英語搞好。』塔克不客氣地說。

『你挑錯了指導教授，』學長告訴他，『他理想中的學生是另一個Frank Lloyd

Wright或是貝聿銘，可以讓他揚名立萬的。』

沒有獎學金，他勢必自己籌學費了。家裡是不可能的，出國是連機票都還是自己家教存下來的。他算算剩下的錢，一學期的學費是夠，可是生活費呢？

有人告訴他，趙紹南要走了，想把他跑跳蚤市場的家當頂出去。

關於老趙這個人，有人說他是國民黨派來的職業學生，有人說他是來蒐集情報的，但是傳聞都是無法證實的，但確實老趙官拜上校，是某單位派出來唸書的，只是老趙自己本身似乎對更上一層樓並沒有太大的興趣，書唸了沒幾天（當然，英文不好也是原因之一），就批了一些廉價珠寶跑起跳蚤市場了。

然後他神通廣大地把老婆和一個小學剛畢業的兒子也接來了。

段勤沒去找老趙，老趙找上了段勤。小地方的跳蚤市場已經滿足不了他。

『我往紐約去，紐約地大人多，大錢都在那裡。』他說，『當然，老弟，你將來也可以到紐約來。』

老趙帶他跑了幾次，利潤還可以，他把僅有的錢都給了老趙。

『其實不只這個價值，看在老弟你也是虎落平陽，也就算了。』

老趙還送了他一輛賣不掉的破車，雖然他連駕照都沒有。

他是在跳蚤市場認識程維珩的。之前，他聽說過許多關於程維珩的傳聞，這個人和中國同學的關係是若即若離的，關於他的事都幾乎是傳聞，包括他把一個香港女生弄大了肚子，又逼著她去打胎……。那些女生談起他來都是咬牙切齒的，眼睛卻帶著笑，使得程維珩這個人就更讓人尋味了。

他不知道程維珩是什麼時候開始注意他的，有一天突然冒出來，用英語問他：『你是韓國人嗎？』

他是長得有點像韓國人，常有人這麼問他。也許是因爲遼寧和韓國太近了，他就長著一臉高麗人的瘦長身材和蒼白的臉。他的大學同校常開玩笑說他是『生病的東北人』，因爲他實在和印象中東北人應有的『虎背熊腰』差太遠了。

他搖搖頭。

『馬來西亞人？』程維珩皺起了眉。

他又搖搖頭。

『那裡？』

『中國人。』

『大陸？台灣？』程維珩問。段勤在學校裡見過中國大陸派出來的留學生，都是和趙紹南一樣四、五十歲的人，常常都是幾個人一起，穿著灰暗的衣服，不苟言笑，他們不和台灣留學生打交道，台灣留學生對他們也視若無睹。

『台灣。』

程維珩笑了，『總要問清楚，不然又有人說我通匪了。』

後來程維珩告訴他，他看了段勤幾次，聽他和人說英語的口音，以爲他是韓國人。他聽說過老趙的事，『不是躲移民局，就是躲國民黨。……老小子，我不過和大陸同學說幾句話讓他看到，到處說我與匪勾結。』

程維珩和他同系一個美國女生簡妮一起賣T恤，他說是『消費行爲調查』的一部份。程維珩唸MBA，那時這個科系剛剛興起，段勤連聽都沒聽過，他們系裡也只有程維珩一個中國人。

簡妮的男朋友來的時候，程維珩就到處做公關，他一副懶洋洋的樣子，可是和誰都說得上話，到處受人歡迎。暑假裡段勤有時到學校圖書館看中文報，他在學校餐廳見過程維珩和一個四十來歲的女人說話，程維珩懶洋洋靠在牆邊，低低不知說什麼，逗得那女人低著頭笑得臉上含羞飛紅，像個情竇初開的小女生，後來程維珩說那女人是他的指導教授。中國女生提起程維珩都是咬牙切齒的，可是碰著了他，也是一個個像溫馴的小貓。偶爾碰見幾個厲害的，故意問：『程維珩哪，昨天有人看到你帶著洋姑兒開旅館。』

『什麼洋姑？什麼旅館？』程維珩似笑非笑地，在桌下故作親密踢踢那女生，『不就是妳嗎？不就是妳家嗎？才一個晚上就撇得乾淨了？』

那女生啐著，『狗嘴裡吐不出象牙！』卻笑紅了臉。

有時候幾個中國女生湊在一起說話，程維珩經過，隨便在那個女生身邊一站，『說什麼悄悄話，吧？』順手就在那女生背上按摩了起來，惹得那女生又躲又笑：『幹什麼嘛，你，死相！』

『我又怎麼了？』程維珩吊著嘴角笑得一臉壞相，『要不老說我都不理妳們，理了妳們又說我死相。』

幾個女生又是笑，又是罵，程維珩沒事人一般晃開了。

只是他和中國女生之間也僅是打情罵俏而已，沒有再進一步的瓜葛。

段勤竟然有點羨慕程維珩。他自己在女孩子中一向都不是很吃得開的。他約過一個中國女生去看電影，約了幾次才約成。等著進場時，他學著程維珩在女生背上按摩，那女生轉身一把打掉他的手，冷冷地說：『幹嘛？毛手毛腳。』

『小地方的中國女生比較保守。』程維珩淡淡地說，『小地方閒言閒語也多，一點小事就鬧得大家都知道了，這些女孩都還想好好嫁人，也就拘謹。』

他那樣子老讓段勤想到民初的公子哥兒，一副養尊處優的身架子，一張似笑非笑什麼都不放在眼裡的臉。

程維珩更多的時候是在段勤的攤子上，有時候閒聊，有時候安靜看他自己的書；段勤知道他心機深，不讓簡妮看到他用功——他在誰面前都是一副不在乎的樣子。

程維珩教他開車，學了沒多久，居然讓他考到了駕照，他跑起跳蚤市場又方便多了。一個暑假，他積了一點錢，他預計開了學維持著週末跑跳蚤市場，他應該可以熬到學期末了。

如果塔克不是那麼逼人太甚的話，他應該可以熬得過去的。第一天上課，塔克在課堂上直截了當告訴他，不要他在班上。

『我沒有時間教英語。』塔克板著臉，『對別的同學也不公平。』

全班人看著他。等他出去，好讓塔克可以開始上課。

他收拾好書本，往講台走去。

和塔克錯身而過時，他看到自己的拳頭出鞘，心裡猛喊著：『不行，不行！』但就是收不回來。塔克應聲倒地。

如果他沒有揍塔克那一拳的話，大概事情也不會弄得那麼糟。

他只有兩個選擇，挨告或退學。外國學生顧問和程維珩都勸他退學。

『退學，你還可以申請別的學校，』外國學生顧問說，『如果你挨了告又敗訴的話，恐怕只得回家了。』

『笨，爲什麼在課堂上揍他呢？暗巷子裡揍他的話，說不定同學都幫你呢。』程維珩坐在段勤的首飾架子邊，架著二郎腿猛晃，『證人太多了，而且都是仰望他分數的證人，你贏不了，趁早申請別家學校吧。』

段勤退了學，不敢和家裡講。要出來時，母親已經到處張揚，她過幾年退了休要到美國養老，『看我們阿勤成器！』

他猶豫著要不要去申請另一個學校。

誰也沒想到移民局的人會操到跳蚤市場來。一群人浩浩蕩蕩先逮了一個拿不出證件的韓國人。程維珩不動聲色來到段勤攤位前時，他才把一盤戒指攤好，還不知道大難臨頭。

『抓人了，攤子我幫你收，』程維珩把汽車鑰匙塞到他手裡，『從前門晃走出去，千萬別跑，就好像和你不相干一樣，一出去開了車就走，晚上到我家找我。』

那天早上他是搭程維珩的便車，老趙那輛車又發不動了。

他走過一個墨西哥人的攤子，看到兩三個人正在盤問那個墨西哥人，墨西哥人嚷嚷著：『你說什麼，什麼？說慢一點。』他幾乎想拔脚就跑，但是他回頭對著那群人笑了笑，搖搖頭不慌不忙走出去了。

他經過家門口時，發現附近有幾個可疑的人徘徊著。他繞過那排房子，朝著城外的汽車旅館馳去。那天晚上他從汽車旅館打電話給程維珩。程維珩要他的美國同房送他來。

『你一走，他們就來了，三個。』程維珩抱了一個枕頭橫躺在他床上，『他們跟簡妮說是有一個老墨殺了人，可是他們一來就問我是不是姓段。』

『我不姓段，我姓程。』程維珩繼續收拾段勤的攤位。

『好吧，你姓程，名字是段。』年紀最大的那個看著手上的本子說。

『不對，不對，我的名字是維克。』

『我們不管你取了什麼英文名字，你的原名是段勤。』

『錯，我的名字就是維克程，我學生證上寫的是維克程，身分證上也是維克程，你不高興的話，可以去向移民局抗議。』

『我不管你學生證上是什麼名字，』那個移民局的人眼著眼睨著程維珩，『什麼身分證？』

程維珩慢條斯理掏出口袋裡的一堆證件和信用卡，一張一張揀給他看。

『看，圖書館借書證……社會安全卡……西爾氏貴賓卡……美國運通卡……都是維克程，還有……』

那人撥開他的手，一疊證件撒了一地，『這些都不能證明你的眞正身分，你說不定也是非法移民。』

『是嗎？』程維珩彎下身，沒有把整疊證件撿起，只挑了一張小卡片起來，冷冷地說，『別告訴我……你不承認移民局發的證件。』

綠卡。

段勤很難得看到程維珩笑成那樣，他高興時通常就是吊著一邊嘴角壞壞地笑，『十足像個小太保。』有個伶牙俐齒的中國女同學在背後說。

『還問我既然不是段，爲什麼要畏罪？他以爲我收拾攤位要跑了。』

『我說，因爲客人都給他們嚇走了。他回頭一看，看到大家都圍過來瞪著他們！』

『我不知道你有綠卡，我以爲你只有工作證。』

『我一退伍，綠卡就等著了。我老媽早就替我申請的……她……沒什麼。』程維珩笑笑，打住沒說完的話。

兩天後程維珩送他上了火車。

過後他常常做著這樣的夢，夢見自己回到學校，他要註冊，他要選課，他要找房子……，而夢中他總是困難重重。每一次他總是覺得回到原來的學校了，可是所有人、所有的教室、所有的校舍他都不認識了。

『爲什麼想回去唸書？』程維珩望著黃浦江的濤濤江水。

『我只是一直覺得心裡有著遺憾。有些遺憾是我們無法彌補的，但是有些遺憾，我們還有機會彌補，我不希望等到我七老八十了，才來後悔我本來可以彌補的。』

程維珩想了想才說：『彌補不了的，是什麼樣的遺憾呢？』

王師傅在他們背後猛按著汽車喇叭。

段勤還在思考，程維珩碰碰他的肘：『上車吧。』不等他反應，就鑽進車裡了。

4

舊金山和段勤唸書的那個小小的大學城有很大的差異，他幾乎是以一種探險的心態來探索這個充滿傳說的城市。

抵達舊金山沒有幾天，拿了尼可借他的地圖，他就步行去了唐人街。離開舊金山以後，終於有閒錢的時候，他在懷舊的心情下買過一本《舊金山導遊》，上面建議遊客要觀光舊金山最好的方法就是步行，這是當時必須步行的段勤沒想到的。當他看到那一段文字時，忍不住要苦笑。

出了他住的寄宿舍，過街沒有幾間屋子就是女青年會，不過街的話，跨過一條橫街是一家小小的美術學校，大概就是火車上那個男孩要去上的那一家吧？他不知道舊金山到底有幾家美術學校。

沙特街不是幹道，除了每個轉角都有家小酒肆或熟食店，幾乎都是改成公寓的大廈。偶爾他會遇到幾個老人在門前台階上曬太陽，而酒肆牆邊總有那麼一兩個不修邊幅衣衫襤褸的人流連徘徊。過了美術學校的轉角是錢思樂大飯店，右轉下去兩條街就是著名的聯合廣場。

第一天出門，他就去了聯合廣場。他應該去唐人街找工作的，可是他總覺得自己還沒有從那場驚嚇恢復過來，他需要一點時間調整一下心情，但不能太久，他自己知道，他必須趕快找到工作，否則他就要坐吃山空了。

他去得太早，聯合廣場只有幾個早起的遊客，一個牧師模樣的人胸前掛著一個牌子走來走去，牌子上寫著：『拯救巴比倫』。

他聽到越身而過的遊客說著：『太早了。』

他的女伴回答：『太晚了！』

『妳說什麼？』兩人相視大笑起來。

走遠的遊客身上的T恤印著：『吃吧，喝吧，盡情享樂吧！』

他順著鋪著鐵軌的保瓦街走下去，到了市場大街。

等候綠燈過馬路時，他看到街角花攤上穿著圍裙的老闆正在整理一桶一桶剪枝的鮮花。

『買花嗎？剛到的鮮花。』

他搖搖頭，朝著斜對面的印伯瑞安百貨公司走去，走得那麼急，幾乎忘了這個時刻百貨公司還沒有開始營業。

他沿著印伯瑞安走到下一個紅綠燈，再穿過街走回頭，正好看到到站的電纜車在轉頭，司機下了車和遊客一起在轉盤上推動著古色古香的車廂。也許有一天他也該坐一次，他想，他看到過影片裡的電纜車，隨著街道的坡度起伏，他已經忘了是那部電影，但是一直記得女主角一頭飛揚在風裡的長髮。

他還是去了唐人街。他像觀光客一樣從都板街這邊進去，四處看得到過分強調的中國風格，鮮豔的黃、紅、藍大把大把地刷著。太白酒家大門緊閉，因為時間還早，對面一家義大利咖啡店一樣門扉深鎖，突兀的招牌在廊下輕輕搖晃。厚厚的灰塵敷在禮品店擁擠的櫥窗——擁擠得似乎那是額外的倉儲空間，而不是展示空間。

他看到櫥窗裡面一個大同電鍋壓在幾個蒸籠、炒鍋、鍋架底下。出國時他母親也買了一個電鍋要他帶，畢竟沒帶——太誇張了一點，他不能想像自己提個電鍋趕飛機、轉飛機的樣子。可是現在看到電鍋，心裡竟然有些後悔。也許他找到工作，拿到薪水可以先來買一個電鍋？

幾個早到的觀光客站在鐵拉門外面窺看著。

段勤走過。

『請問，你知道他們幾點開門嗎？』

段勤搖搖頭。

跟在段勤後面的一個中國老人一路走著，一路揮著手像是要趕走那班觀光客似地，用英語說：『太早，太早！』口音帶著濃濃的廣東腔，『晚點，晚點。』

『多晚？』一個紅髮女人問。

老人板著臉，加重語氣說，『晚點。』繼續揮著手，繼續往前走去。

面面相覷的觀光客聳著肩笑了。

走入史達頓街才能體會唐人街中國人的活力。路邊的卡車不斷卸著貨，一箱箱的鮮魚蔬菜拉過走道，留下一灘灘的水。搬運的人吧喝著，賣店的人吧喝著，買菜的人也吧喝著。燒肉店裡掛著燒得噴香的烤雞、烤鴨、叉燒……油亮油亮地招搖。新鮮的蔬菜綠央央地泛著水珠，番茄的紅、橙的桔、瓜的黃、葡萄的綠……到處都是顏色，和著中國人容易被食物取悅的心情一起熱鬧著。

他在一條安靜的橫街上找到一家介紹所，鐵拉門還鎖著，但是看得見玻璃窗裡貼著一張張事求人的小卡片——水電工、搬運工、二廚、洗碗工……，和他所想像的相差很遠。他不知道在這樣的城市他能找到什麼樣的工作，他甚至不知道他能夠勝任什麼樣的工作，也許他可以找到製圖的工作，但是沒有身分，也許什麼樣的工作人家都不敢要他。他決定什麼樣的工作都不能嫌棄——只要有一份工作。他把介紹所漆在霧灰玻璃門上的電話抄了下來。

他回到史達頓街，在一家滷味店裡買了一磅雞肥，美金一塊錢裝了滿滿一紙盒。那家店也賣滷雞腿、雞翅，滷汁浸得那顏色叫人垂涎。一磅雞肥夠了，他想，正好解決寄宿舍不包的午餐。可惜沒有電鍋，不然可以配上一大碗白米飯，唐人街賣的米一定比美國速食米好吃——如果有電鍋就好了。

店家沒有把紙盒另外包起來，裝著雞肥的白紙盒和中國餐廳外帶的紙盒一模一樣，如果他就這樣走進寄宿舍，尼可一定要問的，他什麼都想知道；有一天早餐，段勤聽到他問查理，平均一個晚上和麗兒來幾次，查理回他，關他屁事。雞肥，尼可也許崇拜李小龍和中國功夫，可是雞肥？段勤打開盒子，邊走邊吃了起來。

段勤房裡聽得到隔壁房間裡麗兒和查理的呻吟和喘息。相信洳琵的房裡也聽得到，也許還更清晰，因爲她們共用著一面牆，不像他還隔著浴室的門廊。有時候那種聲響可以持續大半夜，他只好蒙著頭強迫自己往別的事情上想。

但是那夜出奇地安靜，他卻睡不著覺。過了半夜，他聽到門外的騷動，沈重的腳步聲走動著，男人吧喝，女人哭鬧。他聽到麗兒房間開了門，他也起床套了件長褲，門開了條縫往外窺看。

尼可隨著兩個高大壯碩的警察架了瘓軟的洳琵走進電梯。電梯外圍觀的人還在議論。麗兒上前和人攀談。

他把門開大一點，站到廊上。

『怎麼回事？』他問麗兒，『是移民局嗎？』

『你怎麼會想到移民局？』麗兒眼裡露著好笑的神色，『是洳琵殺了人。』

『她想殺米秋。』廊上一個人拋了一句話過來。

『他們今天晚上在她房裡喝了一夜酒，我聽他們笑得很開心，不知道怎麼回事就鬧起來了。』一個秀裡秀氣的男人說，他身上綠湖色的睡袍還繡著芙蓉花。

『呃，洳琵，』麗兒抱著手撇撇嘴，『她不能喝酒，一喝酒就惹事。』

『她常這樣嗎?』

『喝酒鬧事嗎?』麗兒想了一下,『其實還好。殺人倒是第一次,伊昂,』她回頭喚那個秀氣的男人,『米秋呢?』

『救護車先送走了。』

『嚴不嚴重?傷在那裡?』

那人沒有笑,只是忸怩了半天才扭著頭說,『我不好意思告訴妳。』

聽的人笑了。

麗兒翻翻白眼,『算了,別說。她用什麼殺的?』

那人又忸怩了半天,『水果刀。』

旁邊的人爆出了笑聲,有人說,『也許太暗了,她看錯了。』

電梯又升了上來,本來要回房的人又站住了脚。

疲憊的尼可走出電梯，看到那一堆人，皺起了眉，『你們都不必睡覺嗎？我要去睡了。』

眾人看到是尼可，挺沒意思地也打算散了。

尼可叫住伊昂，一群人的腳步也跟著停下來，已經走到門口的又轉過身來。

『下次要叫警察以前，麻煩你先讓我知道。你如果想讓卡斯楚街的警察都調到這裡的話，遭殃的可不是我。』

段勤不很明白他說的話，但是看到伊昂囁嚅的表情，大概也知道那不是好事。

那一夜他睡得很不好，一直夢到被人追著，不是被穿著黑色制服的警察追著，就是被穿著黑色西裝的移民官員追著。他甚至夢見他和洳琵一起被人追著……，不知怎麼地，他又回到學校去了。

醒來時，他還是疲憊的。洳琵不知怎樣了？他朦朦朧朧躺在床上想著。也許有人該去看她。麗兒他們是不會去的，大家都有工作……，也許尼可會去？也許她需要換洗衣物……，也許……，她不過是一個女人，和他一樣流落他鄉的外國人。

等電梯時，他裝作不經意地晃到洳琵房前，四下無人，他把她門上的全名抄了下來。來美國後，他老是記不住別人的姓。有時候是沒聽清楚不好意思再問，有時候是因爲不知道怎麼拼就忘了怎麼唸，尤其是像洳琵這樣的外國姓，他抄在紙上都不知道怎麼唸呢。

他不知道自己在做什麼，他覺得自己甚至無法解釋自己的行爲。

下了樓，尼可已經在櫃台裡了。

『師父，忙什麼？』尼可叫住他。那個名稱是他從電視影集『功夫』學來的。

『找工作，還能忙什麼？』

『什麼樣的工作？』

『都可以，有錢就可以。』

『耶。』

『昨天晚上，』段勤裝著不在意地問，『洳琵被送到那裡去呢？』

『市立監獄吧。』尼可伏在櫃台上和他說話，『通常都是那裡。』

『在那裡呢？』

『司法大廈吧，』尼可斜著眼，笑著逗他，『怎麼，你要去看她？』

『不，我得去找工作。』他往旋轉門走去。

『好吧，祝你好運！』

前一天下午他打過電話給介紹所，介紹所說隔天早晨有人在，所以他一早又去了唐人街。他在介紹所登記了資料，讓他心安的是，他們竟然沒有問他身分的事，只是看了他的駕駛執照，要他塡了社會安全號碼。

他在介紹所借了黃頁電話簿，抄下了市立監獄的地址。地圖上看來那地方並不是很遠，從保瓦街直直走下去，順著市場大街再轉第六街就可以一直走到那地方。

他出了唐人街，照著自己規劃好的路線走下去，走到市場大街，已經熱出一身汗了。他脫下軍用大衣拿在手上，順著市場大街彎入第六街。過了市場大街以後的街道，行人漸漸少了，偶爾只有閒站在街邊的人冷眼看著他經過，每一條橫街的距離似乎也拉長了，他過了幾個路口，才看到地圖上標示的第一條橫街——尼可的地圖上省略了小街小路。走著走著，手上的大衣越來越沉重，他的步伐也越來越重，他開始想著自己是不是太無聊了，爲什麼想到去看洳琵呢？她根本不認識他，或許她根本不在那裡。他還是繼續走了，因爲他已經走了好遠了，前面的路似乎更近一點。

他剛好趕上早上會面時間。他拿駕駛執照登記，他很高興他抄了洳琵的全名，剛好塡在登記表上，不然就白跑一趟了。

想會面的人不少，擠擠攘攘的人裡面大多數是年輕的黑人。登記好的被帶去搭電梯，那電梯像個龐大的鐵籠子，又高又大，一次載了十幾個人還是空落落地，上升的時候那感覺就像自己是載在吊籠裡的貨物一般。他後來再也沒見過那麼奇怪的電梯。

到了樓上，他們還必須站在欄杆裡面等著讓人叫下去。欄杆旁邊是個扶梯，下去才是會面的地方。站在欄杆裡的人可以看到底下會面用的三個窗口，每個窗口都有一塊玻璃隔著，玻璃內外各有一具電話。

擴音器叫喚著人名。他聽到洳琵的名字，應該是洳琵的名字吧，他還是不能確定她的姓是不是應該那麼唸的。但是接下來他沒有聽到自己的名字，那應該不是洳琵吧。一個西裝筆挺的男人從他身後鑽出來，走下扶梯，被引到其中一個窗口坐下。裡面帶出了犯人，窗上的玻璃反著光，但是被帶到男人面前的女人又似乎是洳琵。段勤換了一個角度，想要避開那道反光，他距脚，半蹲，想盡了辦法，終於看清楚——那是洳琵。

他退到衆人後面，心裡開始嘲笑自己——洳琵並不像他一樣無親無故。他到底在想什麼呢?他爲什麼會以爲洳琵和他一樣孤零零呢?非親非故,他憑什麼來探望她呢?他爲自己的一廂情願笑出了聲。他不理旁人奇怪的眼光,逕自走回那個高大的鐵籠子裡去等著——鐵籠子裡的人滿了,獄卒才會開動。

他決定不告訴任何人這件事。事實上他也沒有任何人可以告訴。

隔了一天後他聽尼可說洳琵被釋放了,因爲米秋不提告訴。但是接連幾天他都沒有看到洳琵。

段勤遷出了寄宿舍,他實在負擔不起那樣的租金。他發現沙特街稍過去一點的地段一個套房的月租只要美金一百元,兩個星期住滿,急急搬走了。尼可問他要了新址說是要轉信給他。唯一知道他在那裡的只有程維珩,他說過安定下來才會聯絡,但程維珩會不會等不及呢?段勤把地址寫在他原先塡的登記表下面,遞給了尼可。

他還有一頓晚餐可以吃,他決定吃了再走。

晚餐的時候，他注意到麗兒的眼睛是紅腫的。

『妳還好嗎？』

麗兒飛快地看了他一眼，『我沒事。』又垂下眼，勉強把著湯。

他看看她，沒作聲，低頭喝他的湯，但是眼角卻忍不住瞥著麗兒。

賈許在窗口吧喝剛進來的人，『要吃晚餐的自己拿！』

有人問：『查理呢？』

『查理，查理，沒有查理你們都會餓死是不是？』賈許發火了，『查理私奔了，查理！』

麗兒放下湯匙，咬著下唇，眼淚已經不聽使喚了。她站起跨過長椅，往樓梯跑去。

賈許打了自己一個耳光，叫著：『麗兒，麗兒，我不是那個意思！』

麗兒站著用手背擦乾眼淚，轉身說：『沒關係，賈許，不是你的錯。』

段勤以爲她會走掉，但是她反而走了回來，安靜坐下繼續喝湯。
那一夜再也沒有人問起查理。

5

那是家舊旅館改的公寓，三〇年代還曾經在那裡拍了一部電影，就叫『大飯店』。『葛麗泰嘉寶和約翰巴利摩爾主演的，一九三一年奧斯卡金像獎最佳影片。』經理老麥說，與有榮焉地得意著，連他那個嚴肅的太太——若絲——坐在辦事的窗裡，也忍不住微微笑著。

大廳的牆和天花板刷著白色的漆，把從前的一切繁華完全抹殺了。地上鋪著紅色的化纖地毯，已經有了污漬，站在那裡還眞需要很好的想像力，才能和三〇年代歌舞昇平的世界聯想在一起。電梯比寄宿舍那一台還老舊，還是鐵拉門的，上升時更緩慢，還可以聽到鉸鍊『嘎啦』、『嘎啦』響。『和我的關節一樣。』老麥笑著說。

他的房間在四樓，一房一浴，不得開伙。房間裡一張單人床、一個大櫥、一張桌子配著兩張椅子，還有很大的剩餘空間。房裡的暖氣是燒水門汀的，老麥已經預先開了，現在正嘶嘶作響。

窗戶望下去，是個天井，天井裡有個長方形玻璃屋頂，也許是一個溫室，也有可能是從前那個旅館的餐廳，屋頂上還有幾個通風口，但是龐大的風扇已經不動了。

介紹所讓他去一家郵購的店應徵，就在李文沃斯街上，離他公寓不很遠，交通費都省了。那是個處理訂單的差事，不大需要勞力，還沒有去面試，他已經先打了九十分。

進門就看到大大小小不同款式的籐製家具，屋子裡充滿了沒上漆的籐器特有的味道。

老闆應聲從屋裡出來，是個東方人。

『你是那裡來的?』老闆一邊拿了申請表給他。

『台灣。』

『我也是。』老闆笑著用國語說。

他盡量不把心中的愉快表現在臉上,『眞的?那太好了。』就是這個工作吧!

老闆看過他塡好的申請表,『有沒有身分?』

『沒有。』他衝口而出,看到老闆的表情,心就冷了一半。

老闆的笑容不見了,『沒有身分,恐怕我們不能用你。』

他拚命想要擠出一點笑容,但顯然他的表情也並不怎麼好看。

『實在是我們被抓過,被查得特別緊,你在這裡也不好……,』老闆嘆了口氣,『試試別處吧,唐人街的就算了,老外開的店可能好一點。』

他咬著唇，好不容易擠出一句：『謝謝。』轉身正要出門，聽到老闆又加了一句，『別處找找看，我留著你的資料，如果旺季臨時缺人手的話，我通知你。』

他又道謝了一次才走出門。

他漫無目標地走著，等他突然發現時，已經又走進唐人街了。

他走過太白酒店對面的義大利咖啡廳，簷下的招牌隨風晃盪著。每回走過，看到招牌上的『卡布奇諾咖啡』，段勤總是覺得奇怪，會有什麼樣的人跑來唐人街喝義大利咖啡呢？他從來沒有看到廊下座位有過任何人，甚至不知道這家空落落的店是不是還在營業。

可是今天，那座上坐了一個女人，段勤走過時忍不住看了她一眼。

洳琵。從那天他去市立監獄以後，就沒有再見過洳琵了，居然在這裡碰到。

『嘿，你。』洳琵喚著。

迦琵應該是喚著店裡的人，段勤想著，沒有回頭。

『嘿，你，chink！』

那是很看不起中國人的稱呼。

段勤好奇地回頭，想看看她在唐人街這麼大膽召喚的是什麼人。

迦琵攤著手掌對他彎了彎食指。

店裡的侍者走出來，是個滿頭深色鬈髮的白人，『嘿，女士，請注意妳的用辭，這裡可是唐人街。』

迦琵一臉無辜的樣子，攤攤手，『抱歉。』

她朝著段勤走了過來。

『我在市立監獄看到你。』迦琵一手扠著腰，朝他靠了過來，『你是去看我的。』

段勤沒看她，也沒作聲，只是猶豫著是不是就這樣走開。

『為什麼？』她揚著頭，朝他眨著黑而濃的假睫毛，『你喜歡我？』

咖啡店的侍者站在門口看著他們兩個，面上露著曖昧的微笑。

段勤轉身快步走開。洳琵伸手沒有抓住，在背後大聲喊著：『你，膽小鬼！』

侍者開心大笑著。

因為他拒絕唐人街的工作，介紹所已經不願替他引薦了，但他還是每天去唐人街。他喜歡唐人街那種調調，儘管他們說的是他聽不懂的廣東話，但是他還是感覺得到那種切不斷的臍帶關係。他買中文小報，看看上面的事求人，可是每次打電話去，接電話的總是說廣東話。他開始著急。

那公寓裡他看得到的都是退了休的老頭子、老太婆，大概不是鰥夫就是寡婦，難得看到成雙成對的。偶爾那些老頭子會在大廳裡看報聊天，雖然說起話來都是有氣無力的，但是遇到像報業鉅子赫斯特的女兒被綁架那一類的新聞，還是高談闊論。老太婆們很少湊在一起，總是把個手袋孤單地來去。段勤有時候會在路上遇到她們蹣跚而行，她們在外面不和他打招呼，進了屋也不打招呼，在大廳遇到了，總是以懷疑的眼光打量著他，遠遠地躲到電梯裡，趕緊把門關上。

不久段勤就發現到老先生們總是早晨的時候聚在大廳，一張報紙幾乎就可以讓他們消磨一個早上。午後一直到天黑，整個大廳常見的只有一位老先生，顯然不太愛說話，幾次看到段勤，只是短短打個招呼而已，這讓段勤減少很多人際壓力，於是每當午後他在屋內看煩了窗下的玻璃屋頂，或從唐人街走累了回來，就帶了中文小報在大廳看。

他發現同一個公寓住了一個東方女孩。

他在大廳看著中文小報。她拿了鑰匙開了玻璃大門進來，長得頂結實健康的一個女孩子，留著一頭發亮的齊肩長髮。

『小鳥兒回來了。』老麥從窗口探出頭來，『分秒不差。』

『每天！』她晃晃頭眼著眼笑，一邊打開信箱拿信。那樣子活潑可愛。

『甜心！』若絲擠開了老麥，『別忘了妳有包裹。』

『又有包裹？』她翻著手裡的信，抬頭笑著，『一定又是我的媽咪。』

她在窗口領了包裹，又把信封裡的照片掏出來和兩老一起看。

『我們家的狗和我外甥，當然，長毛的是狗。』自己哈哈笑著，逗得老麥和若絲都笑咪咪。她的英語流利，說起話來不急不緩，聽不出口音。

她轉過身，段勤衝著她微笑，她迅速掃了他一眼，沒有表情地進了電梯。

她每天早晨打扮得整整齊齊出門。

她住三樓，他隔壁房間的正下方。

他看了她信箱上的名牌——英文名字雪莉，姓FU。也許是ABC，也許是香港人，也有可能是新加坡人或韓國人，或台灣來的中國人……。

她常常收到包裹，若絲會幫她收起來，等她回來時交給她。

他遠遠地跟著她，看到她回頭時，他就站著假裝觀望著街景。

雨天時她走路到海德街搭公車，晴天就朝市場街下段一路走去。

這一天他從唐人街回來，尼可來過了，他幾乎忘了尼可有他的地址。尼可留了紙條給他：『師父，你還在找事嗎？聖法蘭西斯醫院缺一個守夜員，找我的朋友沙耳羅森。』底下留了醫院地址。

段勤看了地圖，從他住的地方往上走，兩條街外就是醫院了。

他走了上去，警衛告訴他沙耳羅森是午班的，三點以後才來。他只好又回來。

他在床上躺了一會兒，起來洗了把臉，看著時間差不多了，換了件乾淨的上衣，又去了一趟醫院。

沙耳已經來了，頭髮齊肩，十足就是個嬉皮的樣子，一見面開門見山就問：『什麼時候可以開始上工？』

『隨時都可以。』

因爲是夜班，工資比介紹所那些工作都來得好一點，雖然還要拖地、打掃，但週休兩天也是唐人街的工作沒有的。最重要的是，這裡比唐人街安全多了。

『那就明天晚上吧，十一點開始到早晨七點，明天十點半來，我拿工作服給你。』

『我不用塡資料嗎？』

『明天一起塡吧，我不知道你今天會來，也沒有跟人事處拿表。』

他原想去寄宿舍向尼可道謝，可是遠遠看到洳琵站在門口，就轉了回來。

將近傍晚的時候，段勤拿了在唐人街買來的中文報在大廳看；他知道『小鳥兒』都是在那個時間回來的。因爲工作有了著落，他幾乎是抱著期待的心情等著她回來。

若絲每天六點鐘關窗，關窗前她一定回來。

他算好時間，在她進電梯時一起擠了進去。裡面還有一個老先生，也是住四樓的。

他站在『小鳥兒』背後說了一聲：『嗨！』鼻子裡全是她的髮香。

老先生以為段勤對他打招呼，也高興對他說了一聲：『嗨！』

她沒有反應，電梯一到三樓，頭也不回地走出去。

他想跟著出去，到底沒有。

他回房裡坐了一下，忍不住又走下樓梯，才走過她房間，就聽到開門的聲音。他已經走下樓，不好意思回頭，只好等在樓梯中段，等到他聽到電梯到達一樓，鐵拉門拉開後，才繼續走了下去，到了一樓剛好看到她走出大門。

她已經換上T恤牛仔褲，提了一個工具箱跨過街往寄宿舍的方向走。

段勤遠遠跟在她的背後，看到她經過寄宿舍，繼續往前走，走進了美術學校。

和他同一班值勤的還有個越南人阿阮，因為替美軍做過事，跟著撤退的。阿阮很安靜，白天在市立大學唸書，把自己的工作做完，就開始看書，從來很少聊天，段勤也樂得輕鬆。阿阮想做會計師，一心一意要把父母和兩個弟弟接出來。看著他，段勤覺得有點慚愧，他還沒有再申請學校。這是暫時的，他告訴自己，等他準備好，他就要再出發。

段勤每天早晨七點多到家，正好可以看到『小鳥兒』出門。他睡到三、四點起床，到唐人街走一趟，回來她也該下班了。一直到上工前，段勤幾乎有四、五個小時可以釘著她。

她每週一三五上課，其他的課他不知道，但是她每星期三上油畫課，油畫課教室的落地玻璃窗臨著大街，段勤在街對面可以看到她的一舉一動，而她看不到段勤。

她是唯一的女生，其他幾個男生都長得一副不修邊幅的樣子，個頭比她高出一大截，說話的時候，不管是站在她前面還是背後，他們總喜歡把手搭在她的肩上，讓段勤嫉妒得要發狂。教課的老師常帶著酒來上課，有時候就和學生分著酒喝。她對著畫思考的時候偶爾會抽煙，但是從來不喝酒……。

有時候她晚到了，只好坐在背對著玻璃窗的位置，玻璃窗外可以看到她正在畫的那幅畫——套著腳鐲的一隻腳。

下課後，每天會有兩個高大的男生和她一起走，其中一個還留著大鬍子，他們一直送她到門口，有時候還吻吻臉頰道過晚安才分手；那兩個人到了海德街才往下走。

那是個大方的女孩，和他在小鎮見過的中國女孩全然不同。

他遠遠跟在後面，很想和她一起走路回家，可是她總是有男同學陪著。……他不想和他們照面，因為他不想介入他們的關係，也擔心著，和他們不知道要說些什麼。

『那個女孩是中國人嗎？』他問若絲。

『那一個女孩？』若絲反問他。

『妳知道的，那個東方女孩。』

『我不知道你說的是誰，無論是誰不關你的事。』

郵差總是近午的時候到。

段勤終於等到那一天，郵差走的時候門沒有關好，她的信箱露出了那麼一角信封。

老麥出去辦事了，只要若絲從窗口消失……。

段勤從她信箱抽出那封信，是台灣寄來的。上面居然連收信人的中文姓名也寫上了：

傅雪文。

『你在做什麼？』若絲在窗口露出臉來，冷冷看著他。

『快要掉出來了。』他把信放在窗台上。

『是嗎?』若絲眼睛看著他,一點也不相信地,『郵差可是放得好好的。』

段勤聳聳肩走開了。

他一點時間都沒浪費,那天傍晚還沒等她進了電梯,他就走到她跟前了。

『妳是台灣來的嗎?』

她詫異看了他一眼:『噢,我以爲你是韓國人。』

他跟著她走出電梯,走到她門前,她掏出鑰匙開門。

『妳住這一間呀?』他說,連自己都覺得自己的聲音做作得扭曲了。

傅雪文沒有說話,人進去了,關門前才拋下一句:『拜拜!』

一天從唐人街回來時,他終於去找尼可道謝。

『中國新年快到了，你知道嗎？』尼可撐著下巴伏在櫃台上。

『是嗎？』他早忘了農曆是幾月幾日了。

『你怎麼慶祝？』

段勤聳聳肩。

『要不要去看花車遊行？』尼可興奮地坐起來，『我可以穿我那件新的中國上衣，刺繡的。』

『有花車遊行嗎？』段勤盤算著約傅雪文出去，『我可以帶個朋友去嗎？』

『當然可以，是女朋友嗎？』

段勤笑笑，『你會知道的。』

花車遊行是星期六和星期日，他星期日和星期一不必上工。

『不了，謝謝你，』傅雪文淡淡地說，『我去朋友家吃飯。』

『我可以問你一件事嗎?』尼可穿了一件繡著彩龍的唐衫,和他夾在都板街的人群中。

『當然可以,什麼事?』

『你和洳琵是怎麼回事?』

『什麼怎麼回事?』

『你和洳琵,怎麼會搞在一起?』

『我和她有什麼事呢?』

『聽說你到監獄去看她,』尼可笑著,『就是那天早上,記得嗎?』

段勤不語。

『最近你還幾乎每天在她窗下晃,這是大家都看到的。』

『她窗下？她的房間有窗嗎？』

『有呀，她又搬回原來住的房間，就是你住的那個房間，你記得吧，臨街的，有一面大窗。』

所以，當他在美術學校對面和女青年會之間晃來晃去注意著傅雪文的時候，他的舉動都被寄宿舍的人看進眼底了。他是多大的笑話呀？

遊行的隊伍終於過來了。華僑學校的女學生打扮得像武打片裡的刀馬旦一樣，耍弄著鼓笛走了過來，後面的花車也緊緊跟了上來。觀看的人越來越多，他退到牆角，看著人群像潮水一般追逐著花車，看著尼可被人潮擠散。他快步離開了都板街……和他在美國的第一個舊曆年。

他不再跟蹤傅雪文。

6

他敲敲傅雪文的房間。沒有人應門。今晚她不必上課，也沒有看到她出門。

他又敲了一次，感覺到眼洞閃動了一下。

門打開了，門鍊還掛著，傅雪文露出臉問：『有什麼事嗎？』

『沒什麼，聊聊天。』

傅雪文遲疑了一下，還是沒有拉開門鍊，『改天好嗎？我在趕功課。』

他沒有說話，傅雪文也沒有說話，在門裡看看他，不等他走開，又把門輕輕闔上。

那天晚上拖著地板時，他腦中都是傅雪文的身影。他必須先想辦法接近她，她是這幾個月來唯一能用國語和他交談的人，也許她也和他一樣寂寞，……雖然她有一些外國同學，但他們到底是不同文不同種的……。也許她會迫不及待投到他懷裡，向他哭訴她的孤獨……只要她趕完功課她的寂寞悲哀就會來的……。他覺得自己就像傅雪文的老朋友，對她的一切瞭若指掌，雖然他們還沒有正式對過話，但是只是時日的問題而已，而這些日子以來，傅雪文必然也熟悉了他的面貌。

他不再跟蹤傅雪文，但是還是每天到唐人街走一趟，沾一沾中國人的氣息，買那一美元一磅的雞肥。他還是捨不得買電鍋，但是買了一個小電爐，和一套鍋碗都齊全的露營炊具，每天下麵吃。

每次經過美術學校的大窗，段勤都可以看到傅雪文的畫又進展了一些：背景漸漸暗了，凸顯出一隻白皙細膩的腳——明顯是女人的腳，腳鐲慢慢成了黃金色的，古典的花紋栩栩如生地呈現出來……。

他剛洗過澡，又站在傅雪文門口。

裡面的人躊躇了一下，拉開門鍊，站在門後讓他進去。

她穿著上課時穿的T恤和牛仔褲，那牛仔褲大腿的部位已經洗得泛白。

錯身而過的時候，他飽飽吸了一口氣，都是傅雪文的髮香。

『妳的頭髮很香。』

『海風。』

他不解地看著她。

『海風洗髮精，任何超市都買得到。』她一副就事論事的表情。

『坐吧，』她搬開窗邊桌旁椅子上的東西，扭亮桌上的檯燈。

這房間的格局和他的房間大同小異，只是入門的一邊另有一扇門。

『妳這裡有兩個房間嗎?』

『沒有，那是更衣間。』

他坐在椅子上，她卻遠遠坐在床邊地板上的坐墊上──她也是一張單人床，床上鋪了淡綠色的床罩，在床頭燈黃色的燈光下看起來柔軟、典雅、舒適；不像他的床，蓋的是廉價的睡袋。

她的書攤在身邊，顯然剛剛一直在看書。

他努力想著程維珩在這種狀況下會說些什麼話，但是腦子裡一片空白。半天他才開了口：『自己一個人在美國嗎？』

她『吧』了一聲。

『還習慣嗎？』

她又『吧』了一聲。

『寂寞吧？』

『不會！』

怎麼不會呢？他笑著，她在說謊，女孩子總是死要面子。

『平常都做些什麼消遣？』

『看書、看電影、看戲……，舊金山能做的事多了。』

『都是自己一個人嗎？』

『不一定，』她盤著腿，把書攤在大腿上，『有時候和朋友一起去。』

『好像沒看到妳有什麼中國朋友嘛。』

她看了他一眼，沒有表情，『我有很多朋友在灣區附近。』

她開始翻著書，翻得很快，段勤很懷疑她是眞的在看。

『看什麼書呢？』段勤站起來，朝她坐的地方走過去。

她把書放在地上，也站了起來。

段勤以爲她是迎著他來的，她卻朝著浴室走去，這一來他倒不好跟上去了。

她只是去洗手。

她洗了手出來，段勤已經坐在她原來坐的地方了。

她走到窗前，坐在另一張椅子上，把亮著的燈扭熄了。她就在陰影裡看著燈光下的他。

他背靠著床，那床果然是柔軟的。

他微笑著，拍拍身邊的地板，『過來坐這邊嘛！』

『我的脚坐痲了。』她安靜地說著，把腿又盤上了。她赤著脚，一雙乾淨細嫩的脚；也許她的畫就是在畫自己的脚？

遇到這樣的情形，程維珩會怎麼做呢？過去揉揉她的脚？

他擱下書，站了起來，她也跟著站了起來，把檯燈再次扭亮。

他以爲她會等在書桌旁。但是他才坐下，她又走回床邊的位置了。

程維珩說，一旦女人爲你開了門，其他的就快了，看起來這個晚上卻不是那麼容易的。

『妳一直都在舊金山嗎？』

她搖搖頭，『我在聖地牙哥待過。』

『都是大城市。大城市的中國人可能好一點。』

她看著他，沒有表情。

『我以前唸書那個地方小，中國同學卻不少，但是女生都很小家子氣，看個電影也要三約四約的。』

『是嗎？』她玩弄著床頭的音響。

『其實既然已經到了美國，就應該開放一點，扭扭捏捏的，眞沒意思。』

她不知道撥弄了那個開關，音響震耳欲聾而出，把段勤嚇了一跳。

樓上馬上有人重重敲打著。

她用手一撥，關掉音響，站了起來，『抱歉，晚了，我還想看看書。』

他看看錶，也該上工了。

他以爲她會跟到門邊，那他就可以和她的同學一樣給她輕輕一吻，道個晚安。可是她沒有，她只是站在浴室門口，遠遠看著他自己開了門出去。

他一闔上門，馬上聽到她掛上門鍊的聲音。

他站了一下才走開。他不急，他已經跨過了門檻，就像程維珩說的，一旦女人爲你開了門，其他的就快了。

他到醫院時，尼可等著他。

『洳琵找你，我該不該給她地址？』

『洳琵是誰？』沙耳問。

『就是那個匈牙利貴族。』

沙耳露出了白白的犬齒笑了起來，『舊金山的匈牙利人，那一個不說他是貴族？』

『連賈許都說他睡過一個。』

段勤遲疑著，『賈許說的不是洳琵嗎？』

『不是，那是他在市場街釣上的，結果還被騙了錢。』

『要騙他還不容易，從波克街抓個穿裙子的，就可以騙得他暈頭轉向了。』

『什麼是波克街？』

『什麼是波克街？』沙耳開心笑了起來，拇指朝尼可晃了晃，『你住過那房子，你問什麼是波克街？』

『嘿……』尼可抗議。

沙耳拍拍段勤的面頰，『同性戀，懂嗎？同性戀。』

『波克街有很多同性戀酒吧，一到晚上同性戀都打扮成女人出來逛。』尼可說。

『我以爲，舊金山，只有嬉皮。』

『老天，你還眞的不知道舊金山的文化呢！』沙耳斜著頭有趣地打量著段勤，『嬉皮，像我一樣，已經過時了，所以我必須出來討生活，現在吃香的是娘娘腔的男人，尼可，說個名字……，任何一個，你那裡多的是……』

『不要議論我的房客。』

段勤腦中閃過一個影子，『伊昂。』

『對，伊昂，你還是知道嘛，伊昂是波克街的皇后，她可以找個有錢的男人養他。』

『那不是眞的，他一直是自食其力。』

『好，好，你剛剛說了，她，是靠男人捧場自食其力的。』

段勤記起了另一個名詞，『卡斯楚街呢？』

沙耳看看尼可，『嘿，他學得很快嘛！』

『卡斯楚街是同性戀的大本營，街長哈維米爾克想要當市長，所以警察一天到晚在那裡幹架，懂吧？』

『嘿，夠了吧，我是來問洳琵的事的。』

『忘了洳琵的事，』沙耳剝著身上的工作服，『和我去喝杯啤酒。』

『洳琵會殺了我的。』

沙耳把工作服捲成一團，塞到段勤手裡，『塞到我櫃子裡，明天見。』

沙耳把尼可推向門口，尼可還一邊回頭望著段勤。

他幾乎無時無刻想著傅雪文，兩天後他又站在傅雪文的門外。

『改天好嗎？我想休息了。』她在門縫裡說。

『我坐一下就走了，馬上要上工的。』他笑著，『想找個人說說國語。』

她嘆了一口氣，拉開了門鍊。

她穿著一件無袖上衣，露出渾圓結實的膀子。她這樣穿著，顯然已經把他當成熟朋友了，他想著。他一整夜就是想著怎樣走到她身旁，像她的同學一樣把手放在她的肩膀上……。也許她會順勢伏到他的胸上，只要他一低頭就可以吻到她那透明誘人的唇……。

他一再表示自己也是個開放的人，不像其他中國人那樣封閉。

而她像一隻敏感的小鹿一樣，機警地閃躲著。

『晚了，我要休息了。』她說了幾次。她的眼睛明顯地疲倦了。

他不必看錶也知道晚了，沙耳一定等得心焦，但是他可以明瞭的。

『對不起，我眞的要休息了，明天還要上班。』她站起來走到甬道口，準備送客。段勤走到門邊等著。

傅雪文等著他自己開門，但是他沒有動手。

傅雪文不耐煩地走上前伸手要開門。

他捉住她的臂，把她帶入自己懷裡。她應該像隻溫馴害羞的小鹿一樣伏在他胸前等著他低頭吻她的，但她沒有。她低下頭，弓起一隻臂來擋住他，騰出另一手努力想打開門。他拉住她那隻想打開門的手，努力把她往裡帶，可是她使勁拖住他往門上摔。他沒想到她有那麼大的力氣，怎麼都無法挪動她，反而在門上重重撞了幾下。

他不懂爲什麼傅雪文的反應如此激烈，他不過是要輕輕吻她一下道晚安。也許她不知道他想做什麼，所以害怕？他繼續努力把自己的唇湊向她的臉，但是都被她用力推開了。他重重撞在門上。

『殺人了，強姦了！』外面有人尖叫著，『救人喔，強姦了！』聲音蒼老而沙啞。

他楞了一下，手還緊抓著她的臂膀。

她怒視著他，趁著他還沒有反應過來，趕緊打開了門。

『走開！』她咬著牙從齒縫裡說。

就在他還在遲疑的時候，她房間裡的電話突然尖銳地響起來，嚇了他一跳。

他臉一白，踉蹌走出了房門。

走廊上一個矮小的身影慌張地閃到轉角去。

她爲什麼和其他的中國女孩一樣呢？他想著，難道她不明白他喜歡她，想要輕輕吻她一下而已嗎？這不也是一種西洋禮節嗎？她不是和她的同學也來這一套的？也許中國女孩都是這麼矯情，所以程維珩寧可找外國姑？

他在她門外又站了一會兒，事情來得太快，他已經無法思考。

回房吧。找機會向她解釋一下，沒什麼大不了的。這樣的事程維珩不是沒經歷過。安靜的走廊上，只聽到自己踩在地毯上輕微的腳步聲，而即使那樣細碎的聲音也令人不安。

接連兩天他都沒有見到傅雪文。他等著她下班回來，她看都不看他一眼，連信箱也不開，就急急從樓梯跑上去。他跟了上去，她已經關上門了。

他敲了門，聽到她在裡面用英語問著：『是誰？』

『是我。』他用國語回答，突然想起他從來沒有告訴她自己的名字，而她居然也從來沒有問過。

裡面沒有回答。

他又等了一會兒，確定了她不會開門，才走開。

也許她不方便開門。

但是他睡不著覺。該睡覺的時候，他在屋子裡走來走去，上工時兩眼泛著血絲。連沙耳都感覺得到他的焦躁，『你看起來就是該找個女人來操的樣子。』

兩天後，他又試了一次。這一次他只感覺門洞閃了一下，什麼動靜都沒有。

星期三，他又站在美術學校對面牆邊了。這一次她面對著玻璃窗。她專心刮弄著調色板上厚濃的顏料，專心在畫面上一刀一刀上著彩。有人遞給她一支煙，她看了一眼，搖搖頭。一綹頭髮落在胸前，她把頭一晃，整頭長髮都晃到肩後了。

段勤似乎又聞到了『海風』的味道。但那不是，那是他不熟悉的某種濃郁的香水味。

泇琵撫著他的臂膀，摸索著進了他的懷裡。

『你爲什麼不上來呢？』她伏在他胸前，伸出手臂摟著他的頸子，努力將他的頭扳下來，『中國男人都這麼害羞嗎？』

他感覺得到她呼吸裡的脂粉味，黑暗中仍然鮮明可見的紅唇湊了上來。

每一件事都是他曾經夢想傅雪文做的，現在由另一個軀體來執行，爲什麼他一樣有著顫抖的感覺？

他把頭埋進她的頭髮裡，尋找著『海風』的味道，但是到處都是他不認識的那種香水味。到處都是。

他看著玻璃窗裡傅雪文小麥色的膀子和透明粉紅的唇；他熱情回應著洳琵想要滿足他幻想的努力。

『我們回去，回你那裡。』洳琵在他耳邊喘著，每個字都帶著熱風噴在他的耳際，讓他耳根連著背脊麻麻癢癢。

她擁著他，他的唇捨不得離開，而他的眼睛也捨不得離開……傅雪文。

洳琵在睡袋底下脫著衣服，使勁地扯下勒得緊緊的束腹，紮得堅實飽滿的軀體在卸下裝備後，顯得蒼白鬆懈。

她的眼睛被那兩片假睫毛遮掩著，而她的雙眼在假睫毛的掩護貪婪地閃動著。

段勤有一股衝動，想要撕掉那兩片假睫毛。

『我看不見妳的眼睛。』

『你是和我做愛，不是和我的眼睛做愛。』

段勤剝掉身上的長褲，關了燈——關了燈，他可以保留自己的愛情。

洳琵迫不及待地呻吟著，像那個屋子裡的許多個夜晚裡，麗兒的喘息和呻吟一樣刺激著他……，只是這一次更具體。

7

他看看鏡子裡自己的臉，像被人不經意地刷上顏料一般，塗弄著洳琵的口紅、胭脂和眼影。傅雪文那塊調色板如果刮掉那層油彩，他一邊往臉上塗上厚厚的肥皂一邊想著，大約也就是這個樣子吧？

他仔細刷洗著每一個部位。他的潔癖是從那時候開始的。

『勤，你在做什麼？』洳琵在床上嬌聲喊著。程維珩沒錯，女人一旦和你上過床，態度就全變了。

段勤洗好澡出來，藉著浴室的燈光撿起地上的牛仔褲套了進去。

『你想幹什麼?』洳琵冷冷地問,『如果你只是要找個人一夜溫存的話,你找錯人了。』

『我得上工去了。』他拉上褲襠的拉鍊,『妳不想回去的話,就留著吧。』

『你都是這個時間上工的嗎?』洳琵懷疑地看著他,黑夜裡,床頭櫃上夜光鐘的指針一格格跨向十點半。

『尼可沒有告訴妳嗎?』他從櫥子裡挑了一件乾淨的運動衫穿上。

『他說你在醫院裡工作。……你做什麼工作呢?』

『守夜員。』

『那是看守屍體的嗎?』洳琵興致盎然坐了起來。

『不是,是看守醫院的。』

段勤拿了他的軍用外套,猶豫著出門前是不是該給洳琵一個吻,最後還是決定算了

——他已經梳洗過了。

『我明天早上七點回來。』他說，快步走向門口。

『嘿，你是不是忘了什麼事？』洳琵跪在床上，扯著睡袋遮住胸前。

段勤沒有回頭，開了門出去。

他爬著李文沃斯街的坡路去上工。那天晚上有霧，迷迷茫茫一片，街燈被霧逼得凝著光暈，照不了幾呎遠；他拉緊外衣，一步一步走進黑夜的霧中。

他幾乎沒有喘息的機會。每天早上她在大門外等著他一起進門，她可以在房裡看著雜誌等他醒來，然後一起走路去唐人街買一磅雞肥，回來下麵一起吃；她實在受不了時，就會自己變些別的花樣，但是限於公寓不准開伙的規定，也弄不出什麼像樣的東西，末了還是和段勤吃著雞肥拉麵。每天下午從唐人街回來，他們固定在大廳看報，等到傅雪文到家後，才上樓……也許……廝混，十點半洳琵回家，段勤上工。換言之，一天二十四個小時，除了睡覺的八個小時——也許還不到，其他的時間他都在洳琵掌握中。

他本來對於『做愛』這件事有著許多幻想，但是當這件事變成和吃飯睡覺一樣的例行公事時，也就沒什麼値得期待了。

她似乎也不必爲錢煩惱。她替段勤買了床單、床罩，連毛巾、浴巾一應俱全，如果不是段勤堅決不肯的話，只怕連外衣、內衣都買了。

『妳不必上班嗎？』段勤望著坐在床尾的洳琵說。

她聳聳肩，『記不記得你在監獄看過那個人？』

『那一個人？』

『來看我的那個人。』她的眼睛刺探著他。

他沒有說話。

『你爲什麼不吃醋呢？』她嘆了口氣，悄悄偎在段勤身邊躺下，『那是我的老闆，他專程去看我就是要告訴我，我被開除了。』

『妳做什麼工作？』

『秘書。』

段勤可以清楚看到她金色頭髮根部新長出來的深色髮根。他記起了麗兒和他的對話。他問麗兒洳琵是不是眞的貴族，麗兒回答他：『你相信她那頭金髮是眞的嗎？』那頭金髮是假的。其他關於洳琵的事也可能是假的。

『妳的頭髮該染了。』

『什麼？』

『我說妳的頭髮該染了。』

洳琵的臉色變了，他以爲她會發火，可是她只是蹙著眉，一揮手說：『哪，中國英語，聽不懂！』

就這樣結束傅雪文的事了嗎?他爬著李文沃斯街的坡道時，一邊想著。洳琵無論如何是不能取代傅雪文的。他無法預見他和洳琵會有什麼樣的將來，或者說，他根本知道他和洳琵之間沒有將來。這樣的一個女人，看起來年紀還大他一截，他怎麼帶進家門呢?

五月，程維珩畢業，他說不回加州他母親家，直接到亞利桑那州。他聽說那裡的房地產很興旺，想要看看能不能做。然後他一直還未來信。

程維珩臨走前，把段勤留在他那裡的東西都寄來了，包括一盒沒賣完的戒指。他打開包裹，就是幾個假的紅寶石戒指。看過以後他把盒子擱在桌上了——本來就是不值錢的東西，何況也沒地方收了。

隔天回來，他躺在床上正要睡著，聽到洳琵問，『這是什麼?可以打開看嗎?』

她正在桌邊晾著剛塗好蔻丹的指甲。

『耶，』他朦朧說，『有幾個紅寶石，喜歡可以給妳。』

不一會兒他聽到洳琵輕輕笑著，『這也叫紅寶石嗎？我明天送你一個。』

他就睡著了。

醒來時，洳琵在他身邊磨距著，一時間好像他全身各處有著她幾百隻手似地。他挪了挪身子，讓出位置讓洳琵躺好，擺好姿勢正要伏下，突然聽到洳琵在喘息之間說：『謝謝你的戒指，中國人的求婚都是這樣的嗎？』

段勤順勢把身子往另一個方向一翻，下床走進了浴室。

『那不是求婚。』他大聲說著，『我不會向妳求婚的。』說完才扭開水龍頭。

等他從浴室出來，洳琵已經走了，枕頭上留下一塊濕濡的地方和一道靑黑色的印子，想是洳琵的眼影。段勤嘆了口氣，剝下枕套換了一個乾淨的。

洳琵的雜誌掉在地上沒帶走，段勤拾起來一看，竟然是本德文雜誌。

隔天她還是帶了戒指，獻寶似地拿出來。

『哪，給你。』她舉著那只戒指遞向段勤，『最好的布達佩斯紅寶石。』

那戒指和她手上那只是一式的，但是台子和寶石都較大，明顯是個男戒。

段勤沒有接。他並不打算被一只戒指套牢，特別是他不愛的女人。

她的笑容僵在嘴角，『我二十歲時，我父親給我的……』

他不必問為什麼，只是可憐她這麼多年居然還沒有為男戒找到主人。

那戒指在桌上擺了兩天，迦琵看不過去，收到他放內衣的抽屜裡，放在最上面——每回打開抽屜，戒指就刺目地落在眼裡。他也不去動它，把內衣一件件從下面抽走，抽到不剩一件，洗好的內衣成落地往上一蓋，戒指就落在抽屜底層了，他總是剩下最後一件內衣就把洗好的再疊上去。

他和洳琵天天走過美術學校，暑假不開油畫課，可是橱窗裡從上學期結束以來，一直陳列著傅雪文那幅畫——套著黃金脚鐲的一隻脚，光滑美麗的脚幾乎看得到毛細孔，而在脚踝最纖細的地方套著一個精巧美麗的黃金脚鐲，逼眞的光影映得那脚鐲似乎也活動了，而脚的微血管也脈動著，整幅畫細膩得像是攝影，連洳琵都忍不住說：『美麗的脚鐲，可是更美麗的脚。』她當然不明白爲什麼段勤老是喜歡停下來看那隻脚。

他還是喜歡在大廳等著傅雪文回來，雖然傅雪文已經練就了一套視若無睹的功夫，而事實上就是沒有洳琵如影隨形，他也很難再接近她。即便如此，望著她走入電梯的背影仍然是他每天所期待的。

洳琵第一次注意到傅雪文時，他們坐在大廳的沙發裡，洳琵抱著他的臂——老麥夫婦和那位老先生已經很習慣看到他們兩個在大廳廝混——在大廳裡可以省掉許多段勤的情不自禁，而洳琵也不敢太明目張膽。

鑰匙開門的聲音。

『嘿，東方女孩！』洳琵放開他，坐了起來，眼睛探索著他的表情，『我說，東方女孩……也許是中國女孩……』

門關上了。

段勤繼續看著他的小報，他不必找工作了，但是他喜歡比較小報事求人廣告上刊登的工資。

『哈囉，小鳥兒！』老麥的聲音響起，『若絲，小鳥兒回來了。』顯然若絲不在窗口，不然就是傅雪文又收到了包裹。

傅雪文和老麥夫婦開著玩笑的聲音在他心中縈繞著。

電梯門拉開又關上。

最後那一刻他才回頭，正好看到電梯裡傅雪文低著頭，翻看手裡的信。電梯緩緩上升。

『你早就知道她，是嗎？』泇琵冷冷地說，『你早就認識這個人，不是嗎？』

段勤不作聲，小報翻了面繼續看著。

泇琵漸漸察覺了他對時間上的拿捏。最初她只是窺探著他對傅雪文的反應，但漸漸地她就明白了爲什麼有那麼多時間上的巧合──無論他們在唐人街耗了多少時間，爲什麼段勤總是趕在五點三十分的時候走進大門。有時候她故意走進沿途的店裡──任何一家店，毫無目的的耗著時間，但是他看看錶，時間差不多了，也不招呼她就自顧自走了。

他感覺得到她的惱怒，但是她也一直不敢求證自己的懷疑。

一個星期六的下午，段勤睡了一覺醒來，泇琵拿了他的鑰匙出去買東西還沒有回來，心想著下樓看看。電梯門一開，看到傅雪文帶了個女人進來，玻璃門外一輛計程車正要離去。

傅雪文一進門，忙著把兩件行李先從門口拖開。

女人看看四周，看看地毯，皺起了眉，『囡囡，怎麼住這種地方？』

她說起話來輕輕柔柔，五官看起來和傅雪文幾乎就是一個樣子，只是膚色白皙許多，因為上了年紀，看得到的肌肉也鬆弛了——讓段勤想起鬆了綁的洳琵。

『便宜嘛，離學校又近。』傅雪文把一只大皮箱費力地往若絲窗前拖，邊回頭嚷著，『媽，您站著別動，擱著，我拿。』

傅媽媽顯然捨不得女兒，急急扯了另一只皮箱，更吃力地挪著。

『伯母，我幫您忙。』段勤趨前。

『喲，中國人呢，』傅媽媽興奮對女兒說，『囡囡，妳怎麼都沒說呢？』

段勤微笑著，正要提起她的行李，傅雪文一把搶了過去，冷冷地說，『不必麻煩，我自己來。』

『這孩子，怎麼這樣？』傅媽媽抱歉看了段勤一眼，低聲埋怨著女兒，『大家都是中國人嘛！』

『姆媽，儂弗曉得，』傅雪文拖著行李往前走，低低用上海話回答她母親：『中國人弗是一定好格。』

一句話說得她母親雙眼充滿了疑慮，斜斜睨著段勤不敢再答腔。

段勤從來沒想到傅雪文是這麼看他的，一時間五味雜陳，像隻被踢了一脚的狗一樣，站在一旁遠遠看著。要來時程維珩也曾三令五申提醒他注意自己的安全，曾幾何時，他竟成了威脅別人安全的壞人了？

那母女兩人忙著和老麥和若絲打著招呼，傅媽媽的英語也是柔柔軟軟，有些生硬，但不失流利，也難怪傅雪文英語說得好了。

傅雪文正要把大皮箱又往電梯邊挪。

『放下，小鳥兒，讓我拿。』老麥翻著櫃台的小門，被傅雪文一把壓住了。

『你留在裡面，』傅雪文用指頭指點著老麥，『我不要折斷你的老骨頭。』

『嘿，妳是個淑女……』老麥抗議著。

『需要負重的時候就不是了！』傅雪文笑著說。

『喔，不行……』若絲對著她搖頭笑著。

老麥假裝嚴肅地對她說：『妳，小女孩，我在的時候妳不行！』

傅媽媽笑著：『這女孩！』

『是的，我可以！』她也一本正經對老麥說，『我可以照顧自己的，我不要你或若絲發生任何可以避免的意外。』

若絲感動地說：『噢，甜心。』

老麥揑揑她的手臂，『好吧，小鳥兒，妳知道怎麼做最好。』

傅雪文這才把皮箱拖開。

『久不說，都生疏了。』傅媽媽跟在女兒後面低聲說。

『牌桌坐太久了，』傅雪文笑了起來，『過幾天就好了。』

『這孩子，』傅媽媽飛快看了段勤一眼，『也不管是不是有人聽到。』

他心裡有一股惆悵，他對傅雪文的認識竟然不足以去瞭解她。從她母女倆的對話，幾乎可以確定她的生活階層——那種高高在上，不把一切看在眼裡的，而她對他的排拒不是矜持，是勢利。

玻璃門上『叩叩』敲著，段勤一回頭，看到洳琵一臉笑容，吧著鮮紅的唇在門外向他拋著飛吻，睫毛把得像兩隻拍著翅膀的黑粉蝶。

『那女人……，』傅媽媽狐疑地問，聲音低得讓段勤剛好聽得見，『……是什麼來路的？』

『媽，不關咱們的事！』傅雪文拿了另一個皮箱往電梯走去，揚起聲音開心地說，『麥，若絲，回頭見。』

老麥和若絲也從窗口伸出頭答應著。

洳琵繼續敲著。老麥開始不耐煩地看著段勤。

電梯門拉上了，段勤還聽到傅媽媽的聲音埋怨著，『囡囡，妳怎麼給我住這種地方呢？』

段勤緩緩移動著脚步，電梯緩緩上升，他的眼睛還離不開電梯內那對母女。

洳琵用力拍打著，臉上的笑容不見了。

老麥厲聲喊道：『夠了！』朝著門口走去。

段勤伸手擋住他，『我去開，』轉身朝門口跑去。

一開門洳琵就喊著：『你是怎麼回事？』

『出去走走，』段勤關上門，順手碰了一下她的膀子，走下台階。

『不，』洳琵在台階上頓著腳，『我要知道你和那女孩之間到底是怎麼回事！』

『什麼回事都沒有。』

『我不相信！』她又繼續拍打著門。

段勤快步走回台階，正好在老麥開門前，把她扯了下來。

洳琵還掙扎著想回去。

『別給我惹麻煩。』段勤狠狠摔開她的手，冷冷地說。

洳琵抬頭看著他，黑黝黝的睫毛遮蓋了她眼睛裡的表情。

他轉身朝著唐人街的方向走去。

『勤，』洳琵心虛地喚著，『等等……』

他聽到她的高跟鞋跑著碎步的聲音，他沒有停下，快步穿過了街繼續往前走。走到美術學校時，他終於在玻璃窗前停下來。

他的腦海裡清晰響著傅雪文那句話：『中國人弗是一定好格。』

他看著玻璃窗上自己的影像。似乎來到美國後，他所期待的一切都變形了，他的碩士學位，他心目中溫順的女友……，連他映在玻璃上的嘴臉都有點變形。

他在玻璃窗前看著，看穿了玻璃窗，看到了玻璃窗裡那幅畫。他站在窗前，茫然眼著那隻漂亮的脚，直到聽到洳琵的高跟鞋漸漸跑近的聲音，他又往前快步走了起來。

傅媽媽住了兩個星期又走了。她再也沒和段勤打過招呼，也許傅雪文告訴過她了，後來她一直對段勤也都是視而不見的。

段勤有一種預感，他和傅雪文之間的一切都要結束了。其實根本還沒有開始，但是一切都要結束了，連他抱存的一點剩餘的幻想都留不住。

大玻璃窗外，傅雪文上了一個美國男孩的敞篷車，是一輛陳舊的雷鳥，敞開的帆布篷幾經風吹雨打已經褪色，段勤甚至懷疑那布篷是不是還撐得起來，但那是一輛如假包換的敞篷車，而傅雪文上了那輛車。

他甚至不能說她嫌貧愛富或勢利眼，因爲那輛車是那麼陳舊。他收回了前日對她的責難。

也許她就是喜歡那樣的男孩吧。憑良心講，那倒是個乾淨體面的男孩。

他還站在窗前不動。

『你是要利用我來氣那個中國女孩的嗎？』洳琵倚在他背後冷冷地說。隔著襯衫領子，段勤仍然感覺到她溫熱的呼吸噴在他的頸邊。

『她不喜歡我，我氣她也沒有用。』段勤頭也不回地，看著美國男孩爲傅雪文關上車門，上了駕駛座，開走了。

『但是我喜歡你，』洳琵伸手穿過他的腋下摟著他。

他安靜地，但用力地拉開了她的手，『別這樣，旁邊還有人。』

洳琵像齒輪一樣貼著他的身體，緩緩把自己轉到他面前，湊著他的臉：『那我們到沒人的地方去。』

因爲面對面，他怎麼也避不開她濃郁的脂粉味，但也因爲這樣的刺激，他瘋狂想念著『海風』。

他把洳琵輕輕推到一邊，臉湊著玻璃，閉上了眼睛。

幾天後，傅雪文悄悄搬走了。

8

他甚至不知道傅雪文是什麼時候搬走的。他連續幾天在大廳裡等不到她。

『那個東方女孩呢？』他聽到常在大廳裡看報的老先生問老麥。

『搬走好幾天了，』老麥沮喪地說。

『眞可惜，』問的人說，『可愛的女孩。爲什麼呢？』

『媽咪要她搬的。』老麥說。

『不能怪她，』若絲冷冷地說，『我們這裡越來越多奇奇怪怪的人，如果她是我女兒，我也不要她住這裡。』

洳琵不動聲色看著段勤，段勤不動聲色看著小報。心裡知道遲早會有這一天的，但是眞正到來時還是若有所失。

傅雪文的離開，除了老麥夫婦有些沮喪之外，其他的人似乎都沒有注意到，倒是卡斯楚街同性戀和警察正面衝突鬧了事，連電梯裡都有人在談論。

只有段勤，他仍然沒有完全放棄。

美術學校又開學了。不管傅雪文搬到那裡，她總是要回學校上課吧？

和她一起上油畫課那一批人改在星期二上課，幾乎所有的人都到了，除了她。

他有意避開洳琵，爲的是要去美術學校看傅雪文。他故意錯開洳琵要來的時間——本來他不在，洳琵也就進不了門。

他故意挑著那些從前不走的路，甚至犧牲唐人街一塊錢一磅的雞肥，吃起了漢堡。

他逛市場街，逛市政中心，甚至有一天還搭了電纜車到漁人碼頭去。剛開始他在電纜車上還和觀光客一起叫喊著，沒多久他就因爲受不了自己做作的快樂而沈默了下來。電纜車隨著舊金山的道路起伏著，而他的心情卻一路下沈。回程他在加利福尼亞街下了車——從這裡橫走到海德街下坡就可以到醫院。穿過派恩街時，他看到牆角有兩個人相擁，面向著他的那個人是查理。查理看到他把臉往牆邊的陰影裡偏。他不動聲色走了過去，回頭看時，查理懷裡那個纖瘦的印第安女孩正朝著他看。

段勤連續站了兩個星期二沒有看到傅雪文，連那幅畫都不見了。

他等著美術學校下課，和她一起走路回家的那個大鬍子一走出來，就鼓起勇氣上前去，『請問，你認識傅雪莉嗎？』他記得她信箱上的英文名字是『雪莉』。

『耶，可愛的女孩，』大鬍子抓抓腮邊，『有什麼事呢？』

『她還在這個學校嗎？』

『不會吧，她有舊金山藝術學院的入學許可，上學期晚到不能註冊才暫時到這裡的，這學期應該回去藝術學院了，』他加強語氣說，『那是個很好的學校。』

『她的畫呢，你知道的，那隻脚……』

『耶，我們說那是她的脚，』大鬍子笑了，『她一定是拿回去了。我們的畫展覽完都拿回去了。』

『你知不知道她在那裡工作呢？』

他聳著肩攤攤手，回頭問他同伴：『你知道嗎？』

『市場街下段，』他的同伴也聳聳肩，『好像是個畫廊還是私人博物館什麼的。』

段勤不知道他還能問什麼。問他們她搬到那裡去？知道了又如何呢？

他低聲道了謝。

『找到她的話，替我們說聲嗨，說我們想她！』大鬍子揮著手，和他的同伴走入黑暗中。

背著泇琵，他問過尼可。

『舊金山藝術學院嗎？哇，全國最有名的美術學校之一。你爲什麼問？你認識誰在那裡嗎？』

『沒有，』他搖搖頭，『我只是聽說了。』

『在那裡嗎？在俄羅斯山丘上。李文沃斯街直直走上去，過了著名的隆巴德街就可以找到。』

他看過隆巴德街的照片，舊金山街頭賣的明信片少不了一張隆巴德街的，彎彎曲曲的道路盤旋在花團錦簇的園景之間。

也許她就住那附近吧，當初她挑了這公寓，不也是因爲離美術學校近嗎？

『有錢人住的地方。』尼可加了一句。

她已經離他越來越遙遠了。

那是一個太知道自己要什麼的女孩，似乎從來不必迷惑，從來不必徬徨，他想到程維珩，傅雪文和他竟然有那麼多相似之處，也許他們一生出來就知道他們要走什麼樣的路，也許要到那裡轉世投胎都是他們自己挑的，挑好了然後毫不在乎地走下去。

『要不要走走看，都是上坡路，走一回，包管你記得一輩子，』尼可不懷好意地笑著，『你如果想擺脫洳琵，可以找她走一次……。』

他苦笑著，傅雪文不就是這麼擺脫了他嗎？

他不曾嘗試過，但是每天上工爬著李文沃斯街的坡路，他都會想到路的另一端住著傅雪文——高高在上的那一端。

傅雪文就這樣一點不留戀地走出他的生命。

遠處隱約響著霧笛。有時候他奇怪，這深夜的霧笛是響給誰聽呢？回航的船早該進港了，而出航的船早就遠離了，可是每逢霧夜，那笛聲總是斷斷續續響到深夜。

他推著一米來寬的拖把，推到窗前，看到自己映在玻璃窗上的黑黝黝的影子，像個鬼。他伸手抹抹窗上的霧氣，窗上的黑影裡多了另一個鬼。他定睛一看，洳琵像個幽靈般就站在窗外。他已經躲了她十來天了。

她穿著一件黑色的洋裝，也許是顏色的錯覺，段勤一眼看到，覺得她瘦了許多。

他默默開了門，洳琵默默進門，他繼續做他的事，而她繼續看著。他們之間發生了許多事，又似乎什麼事都沒發生過。

段勤還是保持著下午在大廳看小報的習慣，因爲已經成了習慣，也因爲自己還依依不捨著一點殘存的記憶。

『查理回去了沒?』他翻著報紙突然說。

『沒有,你爲什麼問?』

『我看到查理了,』他淡淡說,『和一個印第安女孩。』

『可憐的麗兒,』洳琵一點都不驚訝,『這已經不是第一次。』

『是嗎?』

『查理總是跑了又回來,有錢就跑,錢用完了就回來了。但是這一次是跑得最久的。』

『我以爲他們兩個很要好的。』他想起了那些讓他無法入眠的夜晚裡麗兒激情的呻吟。

『你是說麗兒的呻吟聲?』洳琵好似看透他的心思似地,『那是麗兒裝出來的。』

段勤睨著洳琵,滿臉不相信。也許洳琵嫉妒?他想著,麗兒不是說過她和洳琵合不來嗎?

『有一天她叫得我睡不著覺，那時候我還在上班，所以我就去敲門，門沒有關好，我一推就開了，查理睡在地上，手上還拿著酒瓶，他可能回來時就醉了，所以門也沒關好就睡在地上了。麗兒不知道門沒關好，看到我進去嚇得楞住了。』

『然後呢？』

『沒事，我只是說，麗兒，我們都睡一下吧，我們都還有明天要忙碌。……她哭了。』

『麗兒看起來很聰明的，爲什麼不離開他呢？』

『再聰明的女人都有想不開的時候。麗兒希望查理受教育，希望他脫離印第安人的宿命，但是查理並不能承擔那麼多希望。』

他很想告訴洳琵，找個人好好嫁了，就不要窩在寄宿舍那種地方，又害怕她誤會了，以爲他要她搬進來。

這一年發生了不少新聞，但是都比不上尼克森下台帶給美國人的震撼。

沙耳說：『老天，我再也不能告訴人家說我是加州惠提爾來的，和尼克森同鄉簡直是一種羞恥。』

公寓裡的老太太們似乎情緒也受了影響，一個個神經兮兮。他有一天在樓梯口被個老太太盤問了半天。

『你是中國人，是唐人街跑出來的。』

『我是中國人，但不是唐人街的。』段勤邊說，邊挪動脚步往樓下走。

『你騙我，唐人街的事是你幹的，』老太太亦步亦趨。

段勤不知道唐人街出了什麼事，但直覺不是好事，『不是。』

『就是你，你跑來這裡躲的，』老太太喊叫了起來，『他在這裡，來人哪……』

段勤不理她，繼續往下走，正好遇到老麥聽到聲音上來。

『就是他，逮住他，唐人街的事是他幹……』

『密麗，他住在這裡，』老麥平靜地說，『唐人街的事是十幾歲的不良少年幹的。』

『你怎麼知道，他們看起來都一樣。』

『因爲我認識他，我知道不是他幹的……』

『你是共產黨，和尼克森一樣。』老太太憤怒叫了起來。

『尼克森是共和黨，妳忘了妳還投了他一票？』

『不，他不是，他是共產黨……』

老麥不理她，也跟著段勤走了下來。

段勤走出門時，聽到她還在喋喋不休。

後來他才知道前一天有兩個華裔少年在唐人街搶了一個老太太。

沒幾天，段勤和洳琵正要出門，在走廊上又遇見了密麗。

『天哪，他把妓女帶進來了，他要把這裡變成唐人街的妓院了。』

『嘿，誰是妓女？』洳琵不服氣地抗議。

『別理她，』段勤想要閃過密麗，但密麗有意地擋在甬道上。

『上帝詛咒你們，詛咒這個地方！』密麗張舞著十隻手指對著他咬牙切齒，活像希臘悲劇裡走出來的角色，『奸夫淫婦，你們弄髒了這個城市，墮落、骯髒的人，你們會受到報應的，上帝詛咒它，再給它一次大地震，把這些人都埋了，埋得一乾二淨……』

洳琵的手掛在他的膀子裡，微笑著伸出一隻中指朝著密麗說：『妳需要這個！』

那老婦不斷尖叫咒罵，顛躓著朝電梯走去。

『她把我當成妓女。』洳琵不快地說。

『妳不像嗎？』

迦琵放開他的手，默默看著他。他繼續走下樓。

他拍拍迦琵鬆懈的肚皮，她是眞的瘦了。他從來沒有想到自己也可以讓另一個人夢牽魂繫，乃至於消瘦若此的。

『我該減肥了。』迦琵拉過床單蓋住。

『減肥有用嗎？』

迦琵在被單裡偏著頭問，『那是什麼意思？』

『年紀。』

霎時，屋裡只有水門汀嘶嘶的響聲。

段勤的英語也許不好，但是他用單字表達時卻常是一針見血，刺得人招架不住。

迦琵沈默了好一會兒才幽幽問他：『你必須對我這樣刻薄嗎？』

段勤不作聲。

『是因爲那個中國女孩嗎？』

段勤不回答。

『前一陣子，我看到你又去寄宿舍對面等著，我現在知道那不是爲了我。』

段勤還是沒有答腔。

『有一天早晨，我看到那個女孩從美術學校帶走那幅畫，那是她的畫，你一直都知道的，不是嗎？』

段勤繼續沉默。

『說話吧。』

『妳要我說什麼？』

『說她和你不相干，你不是這樣說過嗎？』

『她的事……，妳管不著。』

段勤跨下床，才要走開，被洳琵一把扯住。

『你也把我當成妓女嗎？』她嘶啞地喊著。

『除非妳把那張臉洗乾淨，否則人家免不了把妳當成妓女。』

『我是妓女的話，你是什麼？』

段勤伸手扭亮了燈。

洳琵舉手擋著光，她臉上的口紅和眼影暈開了，糊弄得一張臉像小丑一般。

『妳不會弄乾淨的話，』段勤抓著她的臂往床下拖，『我替妳洗。』

『不，』洳琵推打著，『不要！』

他抓著她的頭髮，拖著她的臂，把她推進浴室。

她踢著、打著、尖叫著。

隔壁的人重重搥著牆。

『殺人了！強姦了！殺人了！……』

段勤認出那蒼老的聲音，就是那一夜在傅雪文門外……，這屋子住了一群瘋子。

他咬著牙用力挾著洳琵，一手打開了蓮蓬頭，水嘩然而下，淋得他和洳琵一頭一臉。水繼續沖著，沖化了洳琵臉上的化妝，被水沖洗過的臉露出蒼白的肌膚。

段勤抓了他的『海風洗髮精』，用力擠在洳琵的頭髮上。

她用力把著他的臂。順著她尖銳的指甲往下抓，血從指甲的痕跡下湧出。段勤楞楞看著，那血不像是流自他的臂，卻更像是流自她漆得血紅的指甲。

段勤摔開她。他的手上還流著血。

『你爲什麼不打我，爲什麼不狠狠打我？』她跌在地上氣急敗壞喊著。

『我對妳沒有那麼深的感情。』

她愕然看著他，眼淚汨汨而下，已經被水溶開的黑色眼線，被淚水又洗了一次，稀釋的墨水流了一臉。那樣子是可悲而可笑的，但是段勤心裡卻全然沒有感覺。

他痛恨自己的麻木不仁，但是拋不開自己的麻木不仁。

『妳並不愛我，妳只是要找一個人來愛妳，任何人都可以，而我不是妳的任何人。』

『你住口！』

『你得狠狠地愛一個人時，才可能狠狠地打那個人。我不愛妳。』

她啜泣著，良久才語不成聲說，『我在監獄看到你，我以爲你喜歡我……，我看到你每晚站在寄宿舍對面等著，我以爲你愛我，我們第一次做愛，你那麼瘋狂地要著我……，我以爲……我以爲，你也是一樣瘋狂地愛著我……你不懂嗎？從來沒有人像你那樣的愛過我……，到現在我才明白，你恨我，』她勉強抬起頭來看著段勤，『爲什麼？』

段勤用中文吼著，『因爲我賤，可是妳比我更賤。』

迦琵睜著被淚水模糊的眼，迷茫看著他。

她不懂，但他並不眞要她懂。

接連幾天迦琵都沒有出現。也許就這樣結束了？他心裡想著，有些悵惘，他原想結束得漂亮一點的。

他收拾好東西，交了班，走出大門，門廊下她不知已經坐候多久了。

他第一次看到她沒有戴上假睫毛，淺棕色的眼睛淸澈如琥珀，眼神憂鬱。她的金髮洗成了棕色，簡單地紮在後面；段勤猜想那是原來的髮色。她的臉上淡淡敷著粉，連口紅也若有似無。

她其實長得不難看，沒有那些僞裝，看起來也年輕多了，她看起來有些羞怯，甚至還有點稚氣。

他看著那張陌生的臉，奇怪著爲什麼只是一層脂粉就可以讓一個人的感覺全然不同。她被他看得不好意思，輕聲說：『我覺得自己好像沒有穿衣服一樣，走在街上似乎大家都在看我。』

『這樣很好。』他說，覺得自己的聲音有些沙啞。

『我不知道該怎麼穿衣服，所以……』她聳聳肩，指指身上。

她穿著一身碎花薄紗洋裝，脚上也換成了低跟鞋。

段勤心裡詫異著——她淡裝的樣子更像一個嫻靜的貴族。

他笑笑，覺得自己的眼光有些發熱，趕緊眨了眨眼睛。

『無論如何，』她安靜地說，『我只想和你在一起。』

他拍拍她伸到他臂彎裡的手。

幾天後，他們從唐人街回來，程維珩坐在大廳等著，他母親動手術在舊金山住院了。

段勤沒有爲他們介紹。

程維珩一貫似笑非笑的表情，揚揚下巴算是招呼了她，什麼事在他都是一目了然，不必多問的。

『妳先回去吧，』段勤對洳琵說，『我們有話要說。』

洳琵蒼白著臉，憂慮地看看程維珩，又看看段勤，還是順從地走了。

『怎麼，當了人家的童子雞了？』程維珩進了他房間才開口。

『沒有的事。』

『如果認眞的話，其他的話我就不必說了。』

『怎麼可能認眞呢？不相干的……』

『離得開嗎？』

『什麼話嘛！……你是說離開她，還是離開舊金山？』

『舊金山。』程維珩促狹地笑，『你說她不相干嘛……』

『問題是離開這裡，要往那裡去？』

『跟我去搞房地產如何？』

『不是需要許多資金嗎？』

『看你怎麼玩嘍。』

『怎麼玩？』

『跟銀行借錢，向法院標購。』

而段勤要做的就是爲他鑑定房屋的結構。

『你是唸建築的，那多少也算是學以致用，總比在這裡拖地板好吧。』

他不說話。

『除非你有什麼牽掛。』

『沒有，我一直想把碩士唸完，』他學程維珩說了一聲『媽的』，『唸完又怎麼樣呢？就是這樣吧。』

『媽的，小子。』程維珩一臉壞笑，『越來越像個男人了。』

第二天早晨洳琵靜靜在公寓門口等他。自從那次的事後，她越來越安靜。

『你那個朋友，』她守在床邊輕輕問道，『他是不是要你走？』

『別胡思亂想。』他心一驚，翻身背對著她。

『我知道他那樣的男人，』她說著，默默伏在他身上，『他是那種會讓女人傷心的男人。』

他迷迷糊糊睡著時，心裡想著，該結束了，怎麼結束呢？他不能帶著她走，他要回頭走他的路了，而她也應該回到屬於她的世界……。

他帶洳琵去吃中國菜，唐人街他天天走，可是從未進去過餐廳，還是事先問了尼可的。一路上洳琵問了幾次：『有什麼特別的事嗎？』

『那有？來了這麼久都沒有試過舊金山著名的中國菜。』

其實他懂什麼中國菜呢？在台灣連小館子都沒上過幾次了，何況餐廳？他拿著菜單發呆。

『要幫忙嗎？』服務生用帶著廣東腔的英語說。

他照著服務生說的點了兩個菜。

『還有雜碎？』洳琵問。

他本來想說，雜碎不是眞正的中國菜，但如果她喜歡，又何嘗不可呢？

他點點頭，服務生會意一笑。

上了菜，服務生為他們點了蠟燭，燭光搖曳，兩人的表情在光影交錯中益見沈重。

『你是不是有話要對我說？』洳琵用筷子撥弄著盤子裡的菜。段勤為她佈的菜，她幾乎沒怎麼動。

『什麼話，』他聳聳肩，『沒有哇。』

他到底沒提分手的事。

他躊躇了幾天，終於還是下定了決心。

『散步去吧？』他一覺醒來，躺在床上說。

『去那裡呢？』洳琵有些訝異。儘管段勤每天和她走一次唐人街，但是他從來沒有那麼正式地說要去散步。

『順著李文沃斯街走上去看看。』

『有什麼特別嗎？』

『尼可說那上面有許多美麗的花園。』

『你是說俄羅斯山丘嗎？我有朋友住在那裡。』

洳琵輕聲說著那個朋友的房子，那也是個匈牙利人。

『她家從前也是貴族……，不怎麼樣的貴族。』她突然安靜下來，好像『貴族』不是很好的字眼一樣。

走到加利福尼亞街時，她已經有點喘。

『你知道我們可以搭電纜車去俄羅斯山丘嗎？』她喘著氣說。

『我喜歡走路去，那是一種挑戰。』

洳琵沒有說話，默默又走了一段。

『你認識誰住在俄羅斯山丘嗎？』她問。

他聳聳肩。

她突然停下來，迷惑地說，『我記得，過了隆巴德街，那裡有一所著名的學校。』

她想著。

『我要繼續走了，妳呢？』段勤說。

她突然抬起頭來看著段勤，平靜地說，『我記起來了，那是一所美術學校。』

『你還在找她。』她清亮的眼睛看著段勤，眼中的迷茫和傷痛令人心折。

段勤忍住心中的不忍，定定看著她，問：『妳要繼續走嗎？我要走了。』

『我不走了，』她堅定地說，『下次我再爬這座山丘，必然是爲了我自己，而不是其他任何人。』

他走了幾步，回頭看她，她還站在原地。段勤繼續往上走去。

洳琵一直沒有跟上去。

段勤又走了一段，確定了洳琵看不見他了，然後轉彎繞道海德街回家。

他本來就沒打算去俄羅斯山丘的。

9

段勤已經向沙耳辭職了，等到找到接替的人就要走了。

那一夜他不斷聽到救護車的聲音，近到覺得救護車就要轉上醫院來，其實那是不可能的，聖法蘭西斯醫院並沒有夜間急診。沙特街來往車少，救護車都喜歡走這條路，平時就常聽到警笛的嗚咽聲，只是這一夜出奇頻繁，間而還夾雜著救火車的叮噹聲。

尼可天快亮的時候出現。

段勤還要一個多鐘頭才下工，一抬頭看見尼可蒼白著一張臉伏在玻璃門上。

『你沒事吧？』段勤開了門。

尼可渾身髒兮兮，一臉疲憊的樣子。

『我需要找個地方睡覺。』尼可沙啞地說，『我等不及挨到沙耳家了。』

『怎麼了？為什麼不回家睡覺？』

『老天，你不知道嗎？昨天晚上火災了。』

『寄宿舍？』

尼可點點頭。

『洳琵呢？』

尼可搖搖頭。

段勤的一顆心往下沈，四肢的血液凝結了，突然之間他覺得自己冷得要打顫。

他跟阿阮交代了一聲，拖著尼可衝了出去。

他一直往下衝，尼可累得跟不上，他回頭把鑰匙拋給了尼可：『去我那裡睡，我回頭跟你碰面。』

『勤，』尼可有氣無力，『那裡已經沒有人了，我是最後一個離開的。』

『可是洳琵呢？她在那裡？』

尼可茫然搖頭，『太多人跑進跑出，我已經記不住了。』

『我必須去看看。』他邊跑邊說。

他瘋狂跑著，好似洳琵還在等著他援救，只要他早到一秒鐘就可以救得了她。天才要亮，四周沈靜著，一路上他只聽到自己規律的跑步聲和劇烈的心跳。他跑得那麼快，轉彎時幾乎踩上睡在街角的一個醉鬼。

遠遠他就看見了對面的寄宿舍，昔日尼可總會留下門廳的一盞燈，讓晚歸的人照明，那盞燈滅了。他預期著看到一片焦黑，但是他看到的景象卻不是他想像的那樣。寄宿舍並沒有被火災夷爲平地。

他站在對街看著寄宿舍。可能是爲了救火，一樓旋轉門和邊門都被打爛了，只剩下參差不齊的門框，窗也破了。眞正焦黑一片是二樓，窗都燒光了，剩下窗框黑色的殘骸，除此之外，整棟樓還是完好的。洳琵那面窗裡面，看得到的部份是黑漆漆一片。

他急著出來，連外套都沒穿，這時候才覺得有些冷，不覺用雙手抱著肩。

『洳琵——』他大喊著，聲音在黎明前涼膩的空氣中被壓縮著，似乎連對街都傳不過去。

他越過街，衝進旋轉門殘存的門框，他要到二樓去，他要看看洳琵的房間，但是眼前的景象讓他不由自主地停住了腳步。

屋子裡極暗，地上泛著水。段勤聞到濃濃的焦味和煙味，他摸索著進去，每一步都是水漬漬地。黑暗中他依稀可以辨識出房間的方位，窗邊的沙發已經髒亂不成形了，曾經光可照人的櫃台被推到牆邊，缺了一角；一樓明顯沒有經過火的洗禮，但是被煙嚴重燻過了，所有的壁紙已經烏黑一片，再也看不見原來的花紋。寄宿舍連最後的一點繁華都不存在了。

電梯門洞開著，電梯不在一樓。他明白即使有電，電梯也可能不安全。他打開初抵舊金山那日查理出現的那扇門，樓梯就在那後面。打開門後，他聞到更濃的煙味和焦味，裡面更黑暗，可是心裡的一點意念支持著他，讓他不斷往上爬。黑暗中他絆了一跤，手碰到的地毯是粗糙潮濕的——火曾經燒到這裡，而水也曾經澆到這裡，那麼，洳琵的房間呢？他手腳並用地爬著到了二樓才扶著牆站起來。樓梯的門開著，也被燒得半毀了，他走進二樓，那甬道更黑暗，他摸著還濕答答的牆，一步一步走進電梯間。

太陽剛要昇起，襯著臨街的窗透入的晨曦，微微看得出電梯間已經燒得面目全非。轉過電梯間就可以看到洳琵的房門口，門全部燒光了，一路看出去空蕩蕩地，穿過已經燒光的窗，可以看到對面去。他小心翼翼跨進洳琵的房間——那一度也是他的房間。地毯，只剩下灰燼；衣櫥，炭化了；壁紙，燒糊了，整個房間像黑漆噴灑過一樣，看不見一吋倖免的地方。他曾經熟悉的那張床的床墊已經燒光了，露出光禿禿的彈簧架在燒了一半的床架上。昨夜，洳琵曾經睡在那床上嗎？他急著找尋的答案看樣子並不能在這裡獲得解答。他在窗前站了一會兒，對面早起慢跑的人駐足觀看著這棟樓，更詫異著居然這樣的時刻裡面有人。

『嘿，你沒事吧？』對面的人喊著。

他沒有回答，只是朝那人揮了揮手，那人揮著手繼續往前跑，不時還回過頭來望著。

他順著原路走下來，走出洳琵的房間時，注意到麗兒房裡更漆黑的一片，似乎那裡面燒得更猛烈、更徹底。

昨夜到底發生了什麼事呢？他心裡疑問著，洳琵，妳現在在那裡呢？他走出寄宿舍時，天已大亮了，他的全身都髒了，手、脚、衣服都像在炭堆裡打過滾一般又黑又髒，他的鞋也許是跌倒時被什麼東西割到了，也裂了。

老麥幫他開的大門，他不想吵醒尼可，又拜託老麥拿了總鑰匙替他開了房門。

尼可沈睡在他床上。他輕手輕腳洗了澡，換上乾淨衣服，把收在櫥子裡的睡袋拿出來，攤在地毯上，睡了。

他累極了，但是睡得不好，他一直做著夢，一個連著一個卻又不連貫的夢。有時候是他被追逐著，有時候是在一處陌生的房子裡尋找著，他不知道他要找的是什麼，可是有個聲音一直告訴他要繼續找下去；他又夢見回到學校，他還是在尋找，尋找一個教室、一份選課單、一個住處……，他繼續夢著，繼續找著。

他被用力搖醒。

『你沒事吧？』尼可伏在他身邊，『你做了噩夢嗎？』

他全身冒著汗。

『你在寄宿舍有沒有找到什麼？』

他搖搖頭，慢慢坐了起來。好久沒睡硬鋪，睡那麼一下，睡得他骨頭發痛。

『可以用一下浴室嗎？』尼可問。

『耶，請便。』他爬起來，趺趺撞撞撲在床上——他還沒有睡夠，他把枕頭翻了面，才好好躺下。

『尼可，』他躺在床上揚聲問：『你認識洳琵多久了？』

尼可沒答話，嗽完口才說：『兩年多，我來的時候，她已經在那裡住好久了。』

他說著走了出來，『她和伊昂是住得最久的。』

『我不懂，』段勤伸展手脚，『她爲什麼要住在那裡呢？』

『是安全感吧，有些人害怕離開熟悉的環境。你相信嗎？唐人街有些中國人一輩子沒離開過唐人街。』

『她有錢嗎?她好像不急著找工作。』

『你問我?』尼可奇怪地看著段勤,段勤對這樣的事應該要比他清楚的,怎麼反倒問起他來了。

『我問過,她沒回答。』

尼可想了想,說:『有人看過她在市場街的當舖,我想她身邊可能有些首飾。』

她到底是什麼樣的女人呢?她讓他折磨,爲他消瘦,難道說,爲了他山窮水盡也在所不惜嗎?她到底在他身上看到了什麼,是他自己不知道的呢?

『你知道她有什麼朋友嗎?匈牙利人?』

尼可想了一下,『抱歉,我幫不上忙,我眞的沒什麼印象。我聽說她剛來時告訴人家,說她是匈牙利貴族,可是我來了以後沒聽說過,可能是因爲大家都當成笑話吧。』

那天午後,他和尼可又回到寄宿舍。儘管外面出著太陽,可是火燒過的房子怎麼都透不進陽光。

他們轉進樓梯，正要打開手電筒，一道強光照著他們的臉，『走開，走開！』一個女人粗嘎地嚷著。

段勤正在猶豫的時候，已經被粗暴地推開了。那是一個流浪老婦，肥腫髒亂，身上帶著發酵的臭味，正拖著一大塑膠袋的東西，走下樓梯。

『老天，』尼可捏著鼻子，『她在這裡做什麼呢？』

老婦正要走出大門，塑膠袋裡的東西拉扯著拖在外面。段勤眼尖看到袋子裡露出一塊衣角，那花樣正是那日洳琵洗清面孔來找他時穿的碎花薄紗洋裝。

『嘿，那是洳琵的。』段勤趕了過去，『她是小偷。』

段勤靠近時，老婦兇悍地揮著其大無比的手電筒威嚇著，『強盜，再過來我就打死你！』

『那是別人的東西！』段勤指著她的袋子。

『那是我的，』老婦叫著，『想要的話就自己去找，歪種！』

段勤還要上去，被尼可一把拉住。

『算了，他們為一片麵包，什麼事都做得出來的。算了，經過這場火，那些東西也都壞了。』

尼可打開手電筒走在前面，一路走一路照，飄浮不定的光讓人覺得腳步也是不穩定的。他們走上二樓，轉出甬道，赫然看見電梯旁邊坐了一個人。

尼可把手電筒照過去。

那人舉起手擋著電筒的光。

『伊昂！』尼可驚叫。

伊昂緩緩放下手，眼起眼看著他們。他的鼻子流血了。

『你怎麼了？』尼可問。

『那個女人，她搶走了我的睡袍。』

尼可把他扶了起來，段勤從口袋裡找出一張還乾淨的衛生紙給他。

『昨晚的火災，你知道是怎麼回事嗎？』

『我不確定，但很可能是賈許……』

『賈許？』段勤和尼可驚訝地喊著。

『你看到什麼了？』尼可問。

『我很晚回來，賈許跟著我進門，他喝醉了，醉得很厲害……』

『你爲什麼不告訴我？』

『我不想吵醒你，我不想找麻煩……，而且那時候並沒有怎麼樣。』

『什麼意思？那時候沒怎麼樣？』

『他回房去了，也許他做了什麼……』

尼可嘆了一口氣，『也許，也許！說了半天，什麼都沒說，那你爲什麼說是賈許呢？』

伊昂驚慌地辯著，『我說過，我不確定，我只是猜想。』

『你有沒有看到洳琵？』段勤忍不住問他。

伊昂搖搖頭，繼續擦著還沒有停的鼻血。

『她有沒有在房間裡？』

『我不知道，』伊昂用手帕把著鼻子，悶著聲音說，『我回來時，大家都睡了。』

他們幫伊昂撿了些還可以用的東西，尼可又回三樓自己房間看了一次。火沒有蔓延到三樓，但是水上去了，加上房門洞開，能用的東西也所剩無幾了。

『你有地方去嗎？』尼可問伊昂。

伊昂猶豫了一下，說：『我暫時到卡斯楚街去。』

『小心一點，』尼可說，『那裡最近不太平靜。』

伊昂點點頭，『我喜歡這裡，我一直喜歡這裡。』

那天傍晚從寄宿舍出來，他和尼可買了晚報。火是從麗兒房間蔓延開來的，她整個床墊都浸了去漬油，地毯上的去漬油漫向洳琵的房間。

『那來的去漬油呢？』段勤問。

『查理油漆用的。』

『是自殺嗎？自殺也不必以這種方式呀。』

尼可搖著頭，『她不是那種不顧別人的人，我不知道是出了什麼事。』

尼可說他要去艾胥利街找沙耳。

『你有什麼打算呢？』他問尼可。

『我想暫時可以住在沙耳的嬉皮窩裡，我以前也是住那裡的，然後再想辦法找個事吧。』

『如果你急著要工作的話，你知道我要走了。』

『謝了，我會問沙耳的。』

『如果有泇琵的消息，讓我知道。』

『我知道。』

第二天尼可被警察找去認屍，晚上特地跑來。

『我沒看到她，』尼可一進門就說，『但是猜猜看發生什麼事了？』

段勤滿臉狐疑看著他。

『查理，查理和麗兒燒死了。』

『查理是什麼時候回去的？』

尼可聳聳肩。

檢驗出來，查理的胃裡還有酒精。

『我一點都不吃驚。每一次跑出去，他一定喝醉了才回來，我想，他是不敢清醒面對麗兒。』

『到底發生了什麼事呢？』

『很難說，』尼可攤攤手，『他們兩個人身上都有傷。有可能兩人發生了爭執，其中一個失手殺了另一個，所以……一了百了。』

『查理……？』

『或麗兒……，查理有可能醉得無法行動。』

『如果他們曾經發生爭執，竟然沒有人知道，那麼……』他多麼希望他的推論是正確的，『洳琵可能還沒回來……或正在別人房間……』

他的心一涼，『米秋！』

『不，米秋受了重傷，他的房間有另一具屍體，我們還不知道是誰，可是我看過，我不覺得那是洳琵。』

『女人？』

『女人。』

段勤嘆了一口氣。

『嘿，別這樣，』尼可說，『洳琵比你想像的好多了。你出現之前，她從來不外宿的。』

『我寧可發現她是個壞到骨子裡的女人……，也許她受傷了？』

尼可搖搖頭，『我看過傷者的名單。』

段勤的臉抵著玻璃窗，窗外一片黑暗，他想起那個有霧的夜晚，洳琵像幽靈一樣悄悄出現的夜晚。

『出現吧，洳琵，』他的心裡狂喊著，『再出現吧，讓我知道妳好好活著！』

10

程維珩想找一只玉鐲子給他母親。他們在北京琉璃廠逛了一個下午，沒看到什麼上眼的東西。快要日落時，終於走進了友誼商店。

程維珩晃了一圈，又走了回來，『有些貨色不錯，可是不曉得她喜歡什麼，算了還是給她現金，讓她自己買吧。』

正要出門，段勤突然看到櫃子裡一排紅寶石戒指。

他趨前俯身，看著玻璃櫃裡，反映著燈光閃爍的紅寶石，每一顆的切法都不一樣，沒有一顆像他曾經擁有過的那一顆。

『您喜歡什麼樣兒的?我拿給您瞧。』

他抬頭看看櫃台裡的女孩,女孩用手攬著一頭烏溜溜的長髮,素著一張乾淨剔透的臉,讓他想起了芝加哥火車上那個女孩。

『我要一顆布達佩斯紅寶石。』他淡淡地說。

『什麼布達佩斯紅寶石?』那個女孩把著嘴笑,『沒聽過。』

『布達佩斯不產紅寶石的,』一個像是經理的男人走了過來,『最好的紅寶石是緬甸產的,顏色最好的是鴿血紅。』

『鴿血紅,可以看一下嗎?』

經理小心翼翼從櫃子裡拿了一只戒指出來,放在櫃台的墊子上,『這就是鴿血紅,顏色最好的紅寶石。』

段勤看著鑲在戒指上的紅寶石。那石頭紫紅中帶點粉,而不是想像中鮮血淋漓的紅。

段勤要的紅是泇琵手指上紅蔻丹的紅，把他的膀子抓得流血的那手指上，和鮮血不分彼此的紅蔻丹的紅。

『布達佩斯紅寶石的紅，是鮮紅的，我不知道是不是最好的，但確實和鮮血一樣地紅。』

經理臉上露著爲難，『說正格的，寶石我也算懂得不少，眞是沒聽過布達佩斯紅寶石。』

他的心裡想著泇琵當時說的話，到底是最好的布達佩斯紅寶石，還是布達佩斯最好的紅寶石呢？會不會是他會錯了泇琵的意思？他拚命想著泇琵把戒指給他的那個早晨，他一直以爲記憶清晰的細節卻模糊了……。

『您再形容清楚點兒，也許我可以給您找找。』那經理一臉熱情的笑。

『不用了，』段勤搖搖頭，緩緩走開了，他怎麼說得清楚呢？

這一刻他明白了，那只戒指一直就沒離開過他心裡，他只是拚命地將它往深處藏，越藏越深……

所有收容那次火災傷患的醫院他都去找過了。他在錫安山醫院找到麗兒的名牌，卻沒有勇氣打開那個冷凍櫃。米秋在太平洋醫療中心的加護病房；賈許在太平洋海岸醫院；查理在中國醫院的……，離開錫安山醫院很遠的地方。

米秋後來不治，他們始終查不出他房間那女人是誰。

他沒有找到洳琵。也沒有人知道她在那裡。他無法相信她就這樣消失了，也許她去了朋友家，可是她在這裡並沒有什麼要好的朋友。他不明白自己爲什麼要找她，就像爲什麼去市立監獄看她一樣矛盾，而這次如果眞找到她又如何呢？他承認他開始喜歡她了，可是這一點點的喜歡並不能叫他改變一切。他不知道該如何解釋。他如何說得淸他只是關心呢？如果他眞的不在乎，又何必關心呢？他的關心又代表了什麼？想到後來，他自己都有點懷疑對洳琵是否僅只是一點點喜歡。當理智回來時，他終於沒有繼續找下去。

如果她沒有死，總是會在那裡好好活著吧。他不斷安慰自己。他翻出了抽屜裡的紅寶石戒指，試著戴上了才覺得太大——這些事也許早就都注定了。早該還給她的，他想著，本來就不適合他的。

他把戒指放入軍用大衣的口袋裡——如果走在街上遇見她，隨時可以還她。

離開舊金山的前一晚，他在唐人街吃了晚飯，去的是和洳琵一起去過的那家餐廳，點的是和洳琵一起點過的菜色，不是刻意的，而是他本來就是個沒什麼創意的人。上菜前侍者爲他點了蠟燭，映著一桌菜，恍惚之間，洳琵還和他相對而坐。

吃過飯，他走出唐人街，刻意往傳說中的花街走去，心裡還抱著一線希望，畢竟一個一無所有、無處可去的女人最有可能在那裡出現呢？

女人隱藏在街燈光圈外的陰影裡，每一個都濃妝豔抹，有如他初次遇見的泇琵。他一路走著，一路仔細端詳著每一張臉，有的似笑非笑地等著他搭訕，有的用變了調的日語招攬他。一度他以爲他找到了泇琵，但是他一走上前，不等女人開口就知道不是了。曾幾何時他也習慣泇琵的脂粉味了。

他繼續走著，女人少了，行人也少了。他正想轉到橫街上，聽到一聲怯怯的：『先生。』

他四處張望，看到牆角暗處一個孤單的身影。

他遲疑地，壓制著狂跳的心，問：『泇琵？』他的聲音是沙啞的。

那個身影沒有回答。

他趨前，那個女人偏著臉畏縮地往牆邊貼緊。

他靠近了女人，很詫異沒有聞到一路彌漫的脂粉味。

『妳是迦琵嗎？』

女人沒回答，但是抬起頭驚慌地看著他。

那是一張似曾相識的臉，但是陰暗中他不敢確定。

『我看不清妳的臉。』他說。

他伸手把女人往街燈下拉，女人驚慌著，卻沒有掙扎。

那是一張他認識的臉。

『妳怎麼會在這裡？』他問。

『喔，不……』女人，不，那還只是個女孩——芝加哥火車上那個吃素的女孩，她看著他，白皙乾淨的臉上泛著紅潮。

『妳先生呢?妳的寶寶呢?』他迫不及待地問,『妳爲什麼在這裡?』

女孩掩著嘴,眼睛泛著淚,『我先生……他又走了。我找不到任何工作……』她一眨眼,眼淚掉了下來。

『那是多久的事了?』

『幾個星期了,我不知道他去了那裡……』女孩哭泣著,好像終於遇到了可以訴說的老友一般,『我在這裡兩天了,可是沒有一個……』

段勤知道,她的錢用完了,她的寶寶餓了,她不得不走上街頭……。

他打量著女孩,她怎麼看都不像妓女,她還穿著火車上那條長裙,她臉上太乾淨了,她看起來像鄰居家那個還沒有完全長大的女孩,沒有人願意花錢去宿一個會讓自己良心不安的女人。

『妳應該像她們一樣打扮。』他指指街的那一頭,突然覺得自己失言,一時尷尬了起來。

女孩擦著眼淚看他，無奈地擠出一個笑容。

他無言走開。他知道他幫忙不了。他摸摸口袋剩下的幾塊錢——他已經養成了習慣，出門時口袋中只放著他需要用到的錢，這幾塊錢幫不了她什麼忙的，用完了她終究還是要回到這條街。

他無意識地玩弄著口袋裡的錢幣。走開好遠，突然摸到口袋裡那只戒指——洳琵說過那是布達佩斯最好的紅寶石，既是最好的，總該值點錢吧。他跑到街燈下，掏出戒指，湊著燈光仔細瞧著。那寶石剔透如紅石榴子，在燈光下豔得令人心悸，豔光裡他看到了血，從洳琵的蔻丹流出他的血。……這一刻他願意相信洳琵——那是布達佩斯最好的紅寶石。

他匆匆跑回去，陰暗的街道上響著他笨重的皮鞋聲，街邊站的人忍不住朝他觀望。

他很高興那女孩還在那裡孤零零地等著。

『拿著，賣掉，回家。』他喘著，把手裡的戒指匆匆塞到她手裡，『這是眞的寶石。』

女孩迷惑地看著他，她的淚水未乾，映得一張乾淨的臉閃閃發光。

他不等女孩打開手掌看淸楚就跑開了。

如果洳琵會回來向他要呢？他邊跑邊想，如果她沒死呢？如果……

第二天他離開了舊金山。

『什麼布達佩斯紅寶石，』程維珩用叉子拌著靑菜沙拉，『我怎麼從來沒有聽你說過？』

也許是餐廳的異國氣氛，也許是友誼商店紅寶戒指的牽引，段勤一開了口就勒不住了。

程維珩把冰淇淋推到一邊——他從來不吃甜點，不像段勤總是上什麼吃什麼，非把上的菜都吃完。

『媽的，還跟我說洳琵是不相干的女人，看樣子就不是。』

『那時候覺得自己不愛，不愛就是不相干。』

『我沒見過你冷酷，想過爲什麼那樣對她嗎？』

『從前自己也不明白，但是這幾年……，起先是看不起她，當年傅雪文讓我覺得相形見絀，而洳琵，……後來只是覺得她根本不應該和我在一起，我不值得她花那麼大的心血。……歲月不值錢，一晃這麼多年，自己走到當年洳琵的年紀，才發現自己也有相同的心境，希望找到一個能夠相愛的人，……其實她就是那麼簡單而已。』

程維珩下巴一揚，問：『她，眞的貴族？』

『起先不覺得，可是後來我相信了……。』

『其實又怎麼樣呢?貴族落了難比貧民還不堪。』

『聽說上海從前也有許多貴族。』

『西方貴族、東方貴族,上海、東京、紐約、巴黎,那一個大城市沒有呢?從上海流落到台灣的,我母親就是一個。』

程維珩啜了一口黑咖啡,『我外公從前開紡織廠,家裡別說老媽子,連司機廚子都好幾個。我有四個舅舅,我媽排行最小,唯一的女兒,要什麼沒有?她偏偏愛上個小空軍,我外公不答應,她兩手空空就走了,高中才畢業呢。到了台灣,剛開始苦雖苦可能還好,……我父親失事的時候,她才三十歲,一個女人帶兩個孩子,我姐和我,沒有積蓄,能賣的都賣完了。日子最難過的時候她還下海伴過舞。如果不是在中山北路開酒廊時遇到我繼父,結了婚到美國,也許到現在還在熬呢。』

『我老姐十幾歲迫不及待就嫁人了,吵吵鬧鬧二十幾歲離婚了。我呢,我十幾歲就不用我老媽的錢，我送報，我抄稿，上了大學我去夜總會端盤子、調酒，這些中國學生在這裡端端盤子，說得比什麼偉大，這些事我大學畢業前都做過了。我老媽心疼我，老是給我寄錢來，那時候美金値錢呢，現金我退回去，支票撕了，那時候眞恨她，爲什麼嫁人，一直到來了美國，出了艾美那件事，我突然懂了，女人千方百計，其實也不過是要一點她們以爲靠得住的愛情，我老媽也不例外。』

『聽說你把人家肚子弄大了？』

艾美那件事一直是個傳說，段勤聽說過，可是從來沒有求證過。

『我那有那麼大的本事？』程維珩晃著頭笑了，『我結紮過，大二的時候愛得瘋狂，是個小舞女，才十八歲，當初只是同情她，後來就在一起了。』

『幹嘛做得那麼絕呢？』

『那個時候，自己都看不到明天了，還能怎麼樣？她還要養家，不能老讓她打胎哪。

何況打胎也要錢。』

『結紮不是很貴嗎？那時候。』

『找了我一個同學的舅舅，只收了藥錢。』

『艾美呢？又是怎麼回事？』

『媽的，能怎麼回事呢？人前人後還吐得煞有其事。』程維珩冷冷笑著，『我最恨的莫過於人家把我當傻瓜，我程維珩別的沒有，智商還有一點。』

後來的故事傳說程維珩逼著她墮了胎。

『我帶她去婦產科，她以爲我要帶她去檢查，怎麼也不肯進去。我說，艾美，妳知道，我也知道，妳沒有懷孕。妳進去，我在外頭等妳，妳認爲妳需要在裡面坐多久，我就等妳多久，出來以後我送妳回家，我們就算分手了，剩下的故事妳自己編。』

『爲什麼不拆穿？』

程維珩笑起來，『拆穿，我程維珩還有得混嗎？那個時代女人最愛的就是爲男人生一窩孩子，我一個沒結過婚的男人結了紮，我不是擺明了使壞嗎？……我落個始亂終棄的惡名，艾美有了面子，我有了裡子。你沒聽說過嗎？女人，喜歡挑戰，對付越是壞的男人，越是有成就感，誰不想逮住一個像泥鰍一樣的男人呢？而男人呢，喜歡照顧不幸的女人，你看艾美，不是沒多久就嫁了一個小日本？也過得不錯哪，我繼父也對我母親很好，她們都是幸運的。遇到我的女人都很不幸，』他看看段勤，『還有……洳琵，當年遇到人也是很不幸的。』

『中國人弗是一定好格。』段勤說著，笑了起來，當年傅雪文還眞沒說錯呢。

『那裡學來的，怪腔怪調。』程維珩睨著他，吊著嘴角笑了起來，『應該說中國男人弗是一定好格，但是，中國男人也不是完全不好。』

『認識你這麼多年，我還以爲你嬌生慣養，沒有經過挫折，對什麼都不放在眼裡。』

程維珩笑了，『我們這種人沒有一點僞裝，怎麼活得下去呢？要不就像洳琵的濃妝豔抹，要不就像我的虛張聲勢……，剝掉了那些，我們都是沒有自信的人。其實我也有恐懼，恐懼自己愛上的女人只想要孩子，也許她就可以爲了這個把我給甩了。年紀越大，這種恐懼越深，最後我自己歸納的結論就是，如果我不愛上她，我就不會傷害到自己……，要不就找一個敢不顧一切愛得死心塌地的女人……』

『像洳琵嗎？』

『像洳琵！』

11

香港機場擠滿旅客，在免稅店裡四處鑽動。

『我有一個問題，一直想問你。』段勤在貴賓候機室的吧台啜著果汁。

程維珩抬抬眉示意他說下去。

『當初你爲什麼願意幫助我？』

程維珩笑笑不答話。

段勤看著他不作聲。

『好，我說了你別介意。』

『不會。』

『看你一副倒楣相，我就是看不得中國人倒楣。』

段勤苦笑，『謝謝你。』

『後來是因爲實際需要。』

『還是謝謝你，因爲我有可能就那樣被毀了。』

『會嗎？不會的，人沒有那麼容易被毀的，人要自己想毀才能被毀。……其實你也許該謝謝傅雪文和洳琵。』

『生命沒有挫折，就沒有成長？還是沒有刺激，就沒有活力？』

程維珩笑了，『媽的，小子。』

廣播器廣播著飛機班次，段勤的班機可以開始登機了。他要回台灣拿大學成績單，準備重新申請學校。

『台北有什麼事可以代勞嗎？』段勤問。

『沒有了，』程維珩想了一下，又說：『申請近一點的學校吧。』

『不用你說，』他說，『不然我喝西北風？文憑能當飯吃嗎？』

他拍拍程維珩肩膀，愉快走向登機門。

他要回去唸那個十五年前不得不扔下的碩士，他知道不久之後，他就可以擺脫那個十五年來一直重複的噩夢。然後呢？也許繼續找一顆布達佩斯最好的紅寶石，然後也許……找一個像洳琵那樣深愛他的女人……。

國立中央圖書館出版品預行編目資料

布達佩斯紅寶石／李寅羊著．--初版
．--臺北市：皇冠，民85
面；公分．--（皇冠叢書；第
2579種）（皇冠小說系列；4）
ISBN 957-33-1272-7（平裝）

857.7 84013118

皇冠 CROWN <註册商標第173155號>

皇冠叢書第二五七九種

皇冠小說 5

布達佩斯紅寶石

作　者—李寅羊
發行人—平鑫濤
出版發行—皇冠文學出版有限公司
台北市敦化北路一二〇巷五〇號
電話◉七一六八八八八
郵撥帳號◉一五二六一五一—六號
登記證—局版臺業字第五〇一三號
編務經理—方麗婉
印務副理—鄭淑芳
編務副理—朱亞君
責任編輯—甘珊君
美術主編—吳慧雯
美術編輯—吳慧雯
校　對—謝慧珍．黃素芬
印刷者—耘橋彩色印刷公司
台北縣新店市寶興路45巷6弄5號
電話◉九一七五八三〇
著作完成日期—一九九五年（民84）六月三十日
初版出版日期—一九九六年（民85）一月一日
◉法律顧問—蕭雄淋律師．王惠光律師

國際書碼◉ISBN 957-33-1272-7
Printed in Taiwan
本書定價◉新台幣140元